KB209667

챗GPT

반병현 지음

{ 마침내 찾아온 특이점 }

2023 전 세계를 뒤흔든 빅이슈의 탄생

생능북스

마침내 찾아온 특이점

초판 1쇄 발행 2023년 2월 15일
초판 11쇄 발행 2025년 3월 14일

지은이 | 반병현
펴낸이 | 김승기
펴낸곳 | ㈜생능출판사 / **주소** 경기도 파주시 광인사길 143
브랜드 | 생능북스
출판사 등록일 | 2005년 1월 21일 / **신고번호** 제406-2005-000002호
대표전화 | (031) 955-0761 / **팩스** (031) 955-0768
홈페이지 | www.booksr.co.kr

책임편집 | 유제훈 / **편집** 신성민, 이종무
영업 | 최복락, 김민수, 심수경, 차종필, 송성환, 최태웅
마케팅 | 백수정, 명하나
인쇄/제본 | 천일문화사

ISBN 979-11-92932-05-7 03320
값 13,000원

• 이 책의 저작권은 (주)생능출판사와 지은이에게 있습니다. 무단 복제 및 전재를 금합니다.
• 생능북스는 (주)생능출판사의 단행본 브랜드입니다.
• 잘못된 책은 구입한 서점에서 교환해 드립니다.

챗GPT

반병현 지음

{ 마침내 찾아온 특이점 }

2023 전 세계를 뒤흔든 빅이슈의 탄생

이 책의 본문 중에는 ChatGPT가 작성한 글이 한 페이지 수록되어 있습니다. 과연 당신은 사람이 작성한 글과 인공지능이 작성한 글을 구분할 수 있을까요?

저자는 농업의 무인화를 위한 인공지능 기술을 개발하고 있습니다. 그래서 솔직하게 말씀드리면, 다양한 산업과 직업이 인공지능으로 대체되어 역사의 뒤안길로 사라지고 그 자리를 새로운 산업이 차지하는 것을 매우 긍정적으로 바라보고 있습니다.

그렇지만 저자는 인공지능이 사람의 빈 자리를 차지하고, 인간이 인공지능으로 인해 외로움을 극복하는 미래의 모습에는 무척이나 큰 두려움을 느끼고 있습니다. 외로움은 사람과 사람이 연결되게 만드는 가장 강력한 원동력이기 때문입니다.

이런 형태의 미래가 도래하기까지 최소한 30년은 걸릴 줄 알았습니다. 그런데 그게 터무니없는 예측이었다는 사실을 깨닫게 되어 이 책을 집필하게 되었습니다.

2022년 12월 출시된 ChatGPT는 인류 역사상 가장 빨리 100만 명의 회원을 유치했습니다. 곧이어 최단기간 사용자 1억 명이라는 기록도 세웠고요. 포털에 'ChatGPT'를 검색하면 연일 쏟아져 내리는 다양한 뉴스 기사들을 접할 수 있습니다. 여기에는 사람들의 기대, 우려, 그리고 약간의 광기가 섞여 있는 것 같습니다.

ChatGPT는 사실 첨단기술이라고 부르기에는 조금 낡은 기술입니다. 그런데도 일반인들이 손쉽게 사용할 수 있는 형태로 공개되었다는 사실 자체가 큰 의의가 있고, 대단한 파급력을 불러온 것 같습니다.

이 책은 ChatGPT에 대해 일반인이 알아두면 좋을 만한 거의 모든 내용을 담고 있습니다. ChatGPT의 기본적인 사용 방법과 여러 분야의 응용 예, 그리고 한계를 함께 소개하고 있습니다. 부디 여러분이 첨단기술을 이해하고 미래를 대비하는 인사이트를 함양하는 데 이 책이 조금이나마 도움이 되기를 바랍니다.

2023년 1월
저자 드림

차례

특별부록은 각 온라인 서점이나 저자의 홈페이지
(http://needleworm.github.io/chatgpt)에서
무료 전자책으로 제공됩니다.

챗GPT

01

AI는 이미
당신보다 똑똑하다

" 올해 안에 일어날 일입니다. AI인공지능는 이제 언어를 이해하여 세상의 모델을 추출할 수 있습니다. 그리고 그 AI는 당신보다 똑똑합니다."

충격적인 이야기입니다. 이 이야기는 2022년 12월, 620만 명의 유튜브 구독자를 보유한 토론토대학 교수인 조던 피터슨Jordan Bernt Peterson 이 세상에 던진 충격적인 경고입니다.[i]

같은 시기, 구글 역시 긴급 사태를 의미하는 코드 레드Code Red를 발령하고 경영진을 소집했습니다. 전 세계의 언론사들은 연일 구글의 종말을 주장했습니다. 대체 이 시기에 무슨 일이 있었기에 모두 호들갑일까요?

어느 날 갑자기 세계 최고의 사회심리학자와 비슷한 수준의 지적 사고가 가능한 AI가 전 세계에 무료 서비스로 출시되었습니다. 이것이 소동의 원인이라 요약할 수 있겠네요. 모든 사건의 중심에는 ChatGPT 챗GPT가 있습니다. ChatGPT는 2022년 12월 대중에 공개된 일종의 인공지능 채팅 서비스입니다. 그런데 그 지적 수준이 상식을 아득히 상회합니다.

피터슨은 ChatGPT에 고등 지적 사고를 요구하는 질문을 던졌고, 인공지능은 이에 대한 답변을 4페이지 분량의 에세이로 작성했습니다. 그 수준도 매우 훌륭했습니다. 피터슨은 "내가 작성한 것과 수준의 차이가 없었다."라고 평가했습니다.

프로그래머들은 ChatGPT에 코딩을 시켜 봤습니다. 학생들은 에세이 작문 숙제를 AI에 맡겼고, 교수들은 학생들이 작성한 숙제의 채점을 AI에게 시켜봤습니다. 판사들은 사건의 적법한 판단을 AI가 해낼 수 있는지 테스트했고요. 뒤이어 충격적인 제보들이 쏟아져나왔습니다. AI가 미국 의사 면허시험을 통과했다더라, 경영대학과 로스쿨의 시험도 통과했다더라 하는 뉴스들이요.[iii) vi)]

그리고 그들은 입을 모아 이렇게 이야기합니다.

"이제 더는 내가 쓸모가 없겠는데?"

흔히 AI가 사람보다 똑똑해지는 시점을 기술적 특이점Technological Singularity이라고 부릅니다. 이 시점부터 AI가 인류보다 더 빠른 속도로 발전할 것이기 때문에, 인간은 영원히 AI를 따라잡지 못하게 됩니다.

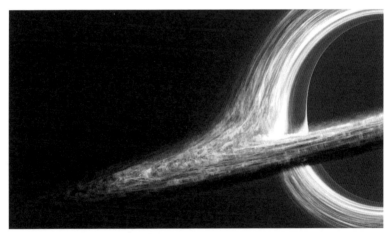

ⓞ 블랙홀의 특이점에서는 물리법칙이 통하지 않습니다. 기술적 특이점 이후 우리의 사회에서도 기존의 지식과 법칙이 통하지 않을 것입니다.

전문가들은 특이점 이후에는 AI를 유지보수할 극소수의 기술자를 제외한 모두가 직업을 상실하거나 노인의 뒷바라지를 하며 기본소득을 받게 되리라 예측합니다.

그렇다면 특이점은 언제 찾아올까요?

레이 커즈와일Raymond Kurzweil[1]은 2015년에 이렇게 예측했습니다. 2040년에 AI의 지능이 인간의 지성을 10억 배가량 능가할 것이라고요.[ii] 만약 그분에게 여전히 같은 견해를 가졌는지 문의한다면 아마 손사래를 치면서 아니라고 대답할 것입니다. 2040년은 커녕, 앞으로 2년이면 특이점이 찾아올 수도 있겠다고 말하면서요.

그렇다면 특이점 이후의 세상은 누가 지배할까요? 일부 급진적인 미래학자들은 특이점 이후 AI가 정치체계까지 장악하여 국가의 운영과 통치까지도 수행하리라 예측하기도 합니다. 이에 대한 반박 또한 만만치 않고요.

불확실한 미래를 두고 갑론을박이 벌어지고 있지만, 모두가 입을 모아 동의하는 부분이 있습니다.

특이점을 돌파한 AI를 제작한 기업이 세상의 패권을 손에 쥐고 사회를 통제할 것이라고요. 이것이 대학이나 할법한 돈이 되지 않는 순수 인공지능 연구에 구글이나 MS, 메타 같은 대기업들이 막대한 예산과 시간을 끊임없이 투자하는 이유입니다.

ChatGPT의 출시 이후 많은 사람이 놀랐습니다. 하지만 진짜 놀라야 할 부분은 따로 있습니다. 바로 사람들의 기대나 예측보다 인공지

---

1 저명한 미래학자이자 구글 딥러닝 엔지니어링 이사

능 기술은 훨씬 더 빠른 속도로 발전하고 있다는 점에 주목해야 합니다. 사실 ChatGPT는 2020년에 만들어진 기술이거든요.

2년 전에 만들어진 기술을 보면서도 전 세계의 기업인과 미래학자, 사회학자들이 두려움을 느끼고 세상을 향한 경고를 던지고 있습니다. 미디어를 통해 이를 접한 우리는 막연한 호기심과 경계심을 갖게 되고요.

아마 현재 대기업 연구진이 대외적으로 공개하지 않고 내부에서 연구 중인 인공지능 기술을 일반 시민들이 확인한다면, 사회체제가 붕괴할 수준의 큰 혼란이 빚어지지 않겠냐는 조심스러운 견해도 있습니다. 저자의 생각으로는, 아마 이 견해는 사실일 것입니다.

현재의 기술력으로 특정 인물의 사상과 가치관, 말투, 행동 습관을 모두 복제한 인공지능을 제작하는 데에는 3개월이면 충분합니다. 이것은 조던 피터슨의 강연에서도 언급된 내용입니다. 심지어 복제하려는 대상이 책이나 논문 등을 활발하게 집필하여, 복제하는 데 참고할 데이터가 충분하다면 더더욱 쉽게 인공지능 복제인간을 만들 수 있습니다.

앞으로 인간의 사회적, 경제적 가치는 급격히 떨어질 것입니다.

아, 첨언을 약간 해야겠네요. 미래를 대비하지 않고 기회를 놓친 사람에게만 해당하는 이야기입니다. 뭐, 만약 골든타임을 놓쳐버린다면 당신의 이야기가 될 수도 있겠지만요.

OpenAI[2] 사의 자비 덕분에 다행히도 우리에게는 특이점을 미리 체

---

2 ChatGPT의 제작사

험하고 대비할 기회가 생겼습니다. 2023년 1월 현재 누구나 ChatGPT의 서비스에 접속하여 인류의 95%보다 똑똑한 인공지능을 체험해 볼 수 있습니다.

빠르게 기회를 잡는 사람이 앞서나가는 사람입니다. 유튜브에는 ChatGPT를 활용해 돈을 버는 방법을 알려주는 영상이나, ChatGPT가 어떻게 우리의 미래를 바꿀 것인지를 논하는 영상들이 수도 없이 쏟아져 나오고 있습니다. 뭐, 아직 실용성 있는 이야기는 많지 않지만요.

이보다는 조금 더 우리의 일상에 와닿을 만한 사례를 살펴보겠습니다. IT분야와 전혀 상관없는 직종에서 근무하고 계신 세 분의 이야기를 담아왔습니다.

A씨는 고등학교 교사입니다. 사실 교사는 수업과 시험 문제 출제보다도 더 많은 시간을 행정업무에 소요하는 직업입니다. 특히나 학기 말에는 생활기록부와 세특[3] 작성을 위해 매일 초과근로를 하거나 주말에도 출근을 해야 합니다.

A씨는 ChatGPT를 사용하여 이번 학기 생활기록부와 세특 관련 업무를 하루 만에 끝낼 수 있었습니다. 학생의 특징과 부각하려는 장점을 알려주면, AI는 정중하고 격식있는 어조로 2초 만에 글을 완성해줍니다. 매번 어휘를 다르게 표현해 주어 중복성 문제도 발생하지 않고,

---

3 세부능력 및 특기사항. 학생의 특장점을 기재하는 항목으로, 언제부턴가 정책이 바뀌며 대학 입시에 결정적인 역할을 하고 있음.

실제로 교육 현장에서 사용되는 용어들로 구성된 문장에서는 관록마 저도 느껴진다고 합니다.

B씨는 그래픽 디자이너입니다. 특히 최근 각광받는 초고화질 입체 영상을 제작하는 업무를 수행하고 있습니다. 전문가들이 사용하는 영상 제작 프로그램에서는 세부적인 사물의 입체적인 움직임을 조정할 때 애니메이션 리깅 코드Animation Rigging Code라 불리는 코드를 작성해야 합니다. B씨는 디자인 전공이지 컴퓨터공학 전공 출신이 아니라 코드를 작성하는 작업이 매번 부담스럽다고 합니다.

저자는 B씨에게 ChatGPT를 소개해줬고, 현재 B씨는 AI에게 리깅 코드의 코딩을 시키고 있습니다. AI가 작성한 코드가 실제로 작동하는 데다가, 생각보다 디테일한 요소까지 건드릴 수 있어 작업속도가 무척이나 빨라졌고 작업 환경도 쾌적해졌다고 합니다. 아마 B씨는 작년보다 올해 더욱 많은 디자인 작업물을 만들 수 있을 것입니다.

C씨는 개신교 목사입니다. 사람들은 목사님들이 일요일 하루만 일하는 줄 알지만, 사실은 그렇지 않습니다. C씨는 매주 월요일에만 쉴 수 있으며, 매주 격무에 시달리고 있습니다. 저자는 그에게 슬쩍 ChatGPT를 권해봤습니다. ChatGPT는 약간의 성경 구절만 입력받고서 설교의 초안이나 기도문을 2초 만에 완성해버렸습니다.

다만 무척이나 성실한 C씨는 예배 준비에 들이는 시간을 줄이는 대신 예전보다 훨씬 다양한 예시와 디테일한 교훈을 추가하는 데 그 시간을 투자하고 있습니다. 그의 바쁜 스케줄은 여전하지만, 신도들이 느끼는 예배의 질은 급격히 상승하여 좋은 평가가 많다고 하네요.

인공지능 시대에도 절대 영향이 없을 것으로 손꼽히던 직업인 성직자 역시 AI의 덕을 볼 수 있음을 실시간으로 목격하니 참 신기합니다.

이 외에도 저자 주변의 수많은 비 IT분야 종사자들이 ChatGPT의 효능과 효험을 체험하고 있습니다. 저자가 틈만 나면 꼭 한 번 사용해봐야 한다고 영업을 하고 있거든요. 미래를 위한 대비 차원에서도 유의미한 효용이 있지만 일상을 개선하는 데에도 효과가 있기 때문인지 대체로 만족하는 것 같습니다. 방금 소개해드린 예시 외에도 공무원, 요리사, 배달 기사, 농업인, 심지어 직업 군인과 어린이집 교사들도 ChatGPT를 일상에서 활용하고 있습니다.

저자도 일상과 업무의 여러 부분에서 ChatGPT의 도움을 받고 있습니다. 이 책도 ChatGPT의 도움을 받아 기획했습니다. 그리고 이 책의 한 페이지는 사람이 아니라 AI가 작성하기도 했습니다. 독자 여러분은 과연 AI가 집필한 페이지를 찾아낼 수 있을까요?

지금부터 ChatGPT가 우리에게 위기인지 기회인지, 만약 기회가 있다면 그것을 어떻게 우리 손에 쥘 수 있을지를 알아보겠습니다. ChatGPT의 사용 방법 또한 상세히 알려드릴테니, 여러분의 일상에 ChatGPT라는 조미료를 한 스푼 더해보기를 바랍니다.

ChatGPT 서비스의 상세한 사용 방법과 AI로부터 깔끔한 답변을 받기 위한 노하우들을 부록에서 소개하고 있습니다.
본격적인 여정을 떠나기에 앞서 ChatGPT를 직접 체험해 보고 그 가능성과 한계를 알아보고 싶다면 부록을 먼저 읽고 다음 장을 펼치기 바랍니다.

Reference

i) Jordan Peterson. Jordan Peterson LIVE at The History of Civil Liberties in Canada Series. 2022.12.17. YouTube.

ii) Peter H. Diamandis. Ray Kurzweil's Mind-Boggling Predictions for the Next 25 Years. 2015. Singularity Hub.

iii) Alicia Ault, "AI Bot ChatGPT PAsses US Medical Licensing Exams without Cramming — unlike Students", 2023, Medscape. https://www.medscape.com/viewarticle/987549

vi) Samantha Murphy Kelly, "ChatGPT passes exams from law and business schools", 2023, CNN, https://edition.cnn.com/2023/01/26/tech/chatgpt-passes-exams/index.html

02

너무 똑똑한 AI의 출현, 위기인가 기회인가?

기술적 백그라운드가 없는 사람들에게 ChatGPT를 어떻게 소개하겠습니까?

ChatGPT는 인공지능 기술의 한 종류로, 인간의 입력과 상호작용을 통해 자신의 지식을 개선할 수 있는 기술입니다.

ChatGPT는 사람으로부터 입력받고, 이에 따라 질문을 제기하거나 정보를 제공할 수 있습니다. 예를 들어, 사용자가 "소개해줘"라고 입력하면 ChatGPT는 자기 소개를 제공할 수 있습니다.

또한 ChatGPT는 사람의 입력을 기반으로 일상적인 상황을 상상하고, 이에 대한 응답을 제공할 수 있습니다. 일반인들은 ChatGPT를 이용해 재미있고 유익한 정보를 얻거나, 자기 생각을 적어보거나, 상황을 상상해볼 수 있습니다.

ChatGPT

고도의 지적 활동은 인간의 전유물이라는 슬픈 착각 ─────

바둑 챔피언들은 알파고[i]에게 연이어 패배했습니다. 골프 인공지능 LDRIC[ii]은 골프여제 박세리 선수를 이겼으며, 테슬라의 오토파일럿[iii]은 인간과는 비교가 불가능한 속도로 교통사고 가능성을 분석하여 회피기동을 수행합니다. 일부 분야의 AI는 이미 완성된 기술 수준 취급을 받고 있어 기능에 대한 연구보다는 소위 '고인물 컨텐츠'라고 불리는 괴상한 수준의 성능 향상 기법이 연구되고 있습니다.

예술보다는 기능적인 분야, 창의성보다는 판단력이 중요한 분야, 고도의 지적 활동보다는 반복수행으로 익숙해질 수 있는 분야, 많은 전문가가 인공지능이 활동하기 적합하다고 지적하는 분야입니다. 특히 창조적인 영역은 AI가 인간을 뛰어넘기까지 굉장히 오랜 기간이 걸릴 것으로 전망되곤 했습니다. 대체 왜 이런 착각들을 했을까요?

우리가 안일한 마음으로 허송세월 하는 동안 어느새 AI는 서양화의 다양한 표현 기법에 통달했고, 콜로라도에서 열린 미술 대회에서 인간 화가들을 꺾고 1위를 차지[iv]하기에 이르렀습니다.

미술계에서는 난리가 났습니다. 거센 반발과 함께 격한 의견이 오갔습니다. 시일이 꽤 지난 현재까지도 관계자의 SNS에 악플이 달리고 있습니다. 이는 창작활동이라는 성역에 AI라는 도구를 도입한 것에 대한 반발일까요? 아니면 '예술 분야는 AI시대에도 굳건하다.'라는 믿음이 배반당한 것에 대한 분노일까요?

사실 AI를 미술 분야에 적용하는 것은 오래된 시도입니다. 국립현대미술관 서울관에서 2019년에 진행되었던 〈불온한 데이터〉 전시에는 AI와 빅데이터 분석 기술을 사용한 다양한 작품들이 출품되었습니다. 2022년, 국내 SNS에서 가장 뜨거운 주목을 받은 최우람의 〈원탁〉[1] 역시 머신러닝을 기반으로 한 작품이었고요.

거장의 반열에 든 예술인들은 이미 AI를 작품활동의 도구로 인지하고 작품활동의 재료로 사용하고 있었음을 보여주는 단편적인 예시입니다.

법률 분야에서도 비슷한 움직임이 있습니다. 일부 법조인들은 기고문을 통해 인공지능이 법조인의 영역을 침범할 수 없을 것이라 주장합니다만, 대법원 사법정책연구원의 판사님들은 AI가 머지않은 미래에 사법 시스템 내에 깊게 침투할 것이라 전망하고 이에 대한 대응책과 관련 제도들을 미리 준비하기 위해 노력하고 있습니다.

최고의 작곡가 라인업을 보유한 SM엔터테인먼트가 작곡 기술을 가진 AI 스타트업에 투자한 것도 마찬가지이며, 대형 병원들이 AI기술을 의료분야에 적용하기 위해 루닛Lunit과 같은 AI스타트업과 협업하는 것 역시 비슷한 맥락으로 보입니다.

---

1 MMCA 공식 영상 : https://youtu.be/WsnY0QU0rn4

ⓘ 장인은 항상 최고의 도구를 고집하는 법입니다

전문가 집단 내에서도 남들보다 전문성이 더 뛰어난 사람들일수록 AI라는 도구를 적극적으로 활용하기 위한 방안을 고민하는 것 같습니다. 인공지능과 함께할 미래를 남들보다 일찍 준비하기 시작하는 것이지요.

2022년 4분기에는 SF 작가들이나, 웬만큼 상상력이 뛰어난 사람들마저도 충격에 빠뜨린 ChatGPT라는 서비스가 공개되었습니다. ChatGPT는 일종의 대화형 인공지능입니다. 사람이 질문을 하면 대답을 되돌려주는 간단한 기능을 갖고 있습니다.

ChatGPT는 GPT[2]로 만든 채팅 서비스이며, GPT는 유창한 솜씨로 인간의 말을 이해할 수 있는 인공지능 기술을 의미합니다. 그렇기에

---

2 Generative Pre-trained Transformer의 약자로, OpenAI에서 매년 발표해 온 자연어 처리 AI 기술의 이름

사람들은 ChatGPT가 처음 오픈했을 때 사람처럼 유창한 대화가 가능한 채팅 서비스를 기대했습니다.

서비스 런칭 이후, 뚜껑을 열어 보니 ChatGPT는 정말로 꽤나 유창한 솜씨로 인간의 질문에 답변하는 채팅 서비스였다는 점이 드러났습니다. 그런데 며칠 지나지 않아 사람들은 조금 이상한 점을 느끼게 됩니다.

고작 채팅 서비스라고 하기에는 그 성능이 어딘가 궤를 벗어난 부분이 있었거든요. 그저 인간처럼 자연스러운 문장을 구사하는 수준이 아니라, 이 인공지능은 지나치게 똑똑했다고 합니다.

저자는 이 소식을 듣고 과장이 무척 심하다고 생각했습니다. 1과 0으로 이루어진 프로그램 덩어리가 조금 똑똑해 봐야 거기서 거기겠거니 여겼습니다. 하지만 ChatGPT와 이틀 가량 대화를 나눠 보니 평가를 대폭 상향조정할 수밖에 없었습니다.

아마 ChatGPT와 지식의 깊이를 겨뤄 이길 수 있는 사람은 전체 인류의 10%도 되지 않을 것 같다고요.

ChatGPT는 우리가 상상할 수 있는 거의 모든 분야의 전문지식을 갖고 있으며 거의 사람과 다름없는 수준의 유창한 답변을 제시할 수 있습니다. 심지어 ChatGPT는 본인이 AI면서도 다른 AI를 코딩하는 능력까지 갖추고 있습니다.

ChatGPT는 AI이고, AI는 빅데이터를 학습하며 세상의 이치를 수학적 패턴으로 분석하는 도구입니다. 학습에 사용한 데이터의 규모가 크면 클수록 AI의 성능이 높아지므로, 아마 ChatGPT의 제작자들은 구글 등에서 다양한 출처의 정보를 닥치는 대로 수집하여 학습에 활용하였을 것입니다.

그 과정에서 일상적인 대화뿐 아니라 백과사전이나 과학 논문 등, 정보를 담은 문서도 엄청나게 많이 수집되었을 것입니다. 덕분에 ChatGPT는 인간이 사용하는 언어, 자연어의 문법적 구조나 패턴뿐 아니라 인류가 쌓아 올린 다양한 지식과 정보를 함께 습득하게 된 것입니다.

ChatGPT의 지식수준은 전문가보다는 얕고, 비전공자보다는 깊습니다. 그런데 그 지식의 범위가 말도 안 되게 넓습니다. 인터넷에서 검색이 가능한 주류 지식 분야는 모두 알고 있다고 봐도 무방합니다. 그렇기에 ChatGPT를 지식의 깊이에서 압도할 수 있는 소수의 전문가를 제외하면, ChatGPT가 대부분 일반인보다 똑똑하다는 결론에 도달하게 됩니다.

따라서 ChatGPT에게 궁금한 점을 질문하면, 바로 전문성 있는 답변을 받을 수 있습니다. 이는 정보 검색 체계의 새로운 혁신에 해당합니다.

우리가 네이버나 구글 등의 검색엔진을 활용해 정보를 얻으려면 먼저 머릿속에서 검색하려는 키워드를 한차례 설계하고, 이를 입력한 뒤, 무수히 많은 검색 결과 속에서 최적의 정답을 찾는 탐험explore을 떠나야 합니다. 사용자에게 필요한 정보를 얼마나 효율적으로 제공해 주느냐와 관련된 기술이 포털 사이트의 심장이나 다름없다고 할 수 있겠습니다.

그런 점에서 검색엔진의 활용은 도서관에 방문하여 관련 지식을 탐구하는 과정과 비슷하다고 볼 수 있겠습니다. 도서관에서 정보를 찾을 때는 우선 원하는 지식 분야의 책이 어느 층 어느 열람실에 있는지 확인해야 합니다. 그다음에는 어느 책꽂이의 몇 번째 선반에 내가 원하는 정보를 담은 책들이 모여 있을지 확인하고, 마지막으로 여러 권의 책을 훑어보며 정보를 찾아야 합니다.

정보 혁명, 정보화 시대, 그리고 4차 산업 혁명으로 이어지는 현대에도 정보를 탐색하는 단계 자체는 과거의 틀을 크게 벗어나지 못한 것 같습니다. 이는 지식의 저장 체계가 종이 문서에서 웹 문서로 옮겨 갔고, 책의 역할을 웹사이트가 수행하게 된 것이 정보 분야의 발전 단계였기 때문입니다. 인류가 정보를 저장하는 체계와 방식이 비슷한 형태로 진행되었으므로, 이를 탐색하는 방식도 비슷한 형태를 계승한 것입니다.

그런데 ChatGPT는 질문받는 즉시 전문적인 수준의 답변을 제공해 줍니다. 질문 과정에서 디테일한 요구조건을 조금만 덧붙여도 사용자에게 꼭 맞는 정보를 즉시 던져주고, 친절한 해설도 곁들여 줍니다. 무척이나 편리하죠.

ChatGPT를 활용한 정보 탐색 과정은, 지금까지의 정보 탐색 체계와는 완전히 다른 방식으로 작동합니다. 어쩌면 스스로 정보를 찾아 헤매는 것이 아니라 삼라만상을 꿰뚫고 있는 AI에 질문을 던지는 방식으로 정보 검색의 패러다임이 바뀔 수도 있겠지요.

이에 구글 CEO는 코드 레드Code Red, 긴급사태를 발령하며, 이사회를 소집하여 사업에 큰 위협이 될 수 있으니 해결 방법을 찾는 데 집중하라는 지시를 내렸습니다.[v] 이를 두고 언론사에서는 '구글의 종말'이라는 자극적인 헤드라인을 찍어내고 있고요. 여기까지가 ChatGPT가 2022년 12월에 불러온 혼란입니다.

교육계에서는 ChatGPT의 작문 실력이 너무 뛰어나, 학생들이 숙제를 직접 하지 않고 AI에 맡기더라도 이를 구분할 방법이 없다며 우려를 표하고 있습니다. 의료 분야 관계자는 ChatGPT가 잘못된 의학 정보를 제공하더라도 일반인이 이를 검증하기는 쉽지 않을 것이며, 이에 따라 잘못된 진단을 스스로 내리며 건강을 해칠 수 있다는 견해를 밝혔고요.

이래저래 ChatGPT의 출시 이후 갑작스레 튀어나온 첨단기술이 구글도 잡아먹고, 인류의 지성을 뛰어넘으며, 우리의 삶의 모습을 크게 바꿀 것이라는 전제로 다양한 분야에서 의견들이 쏟아지고 있습니다.

그런데 재미있는 점이 있습니다. 그 누구도 'ChatGPT의 문장 구사 능력이 부족하다.'라는 주제로 기사를 내거나 기고문을 발표하고 있지 않거든요. ChatGPT의 발언 내용의 진위, ChatGPT가 끼칠 사회적 파급력에는 관심이 많으면서도요.

이는 ChatGPT가 튜링 테스트를 통과할 수 있을 것이라는 점을 시사하기도 합니다.

튜링 테스트Turing test는 기계의 지능을 테스트하기 위해 고안된 기법으로, AI의 성능이 무척 뛰어나 인간과 비교가 힘든 수준에 이르렀는지를 기준으로 기계에 지능이 있는지 없는지를 판단합니다.

이전에 튜링 테스트를 통과했다고 주장하는 모델들은 테스트 조건을 자기 입맛에 맞게 설정하고 테스트를 진행했습니다. 2014년 발표된 영국 레딩 대학교University of Reading의 인공지능 유진 구스트만Eugene Goostman[vi])이 대표적인 사례입니다.

당시 연구진들은 심사 참여자들에게 "유진은 우크라이나 출신의 13세 소년이다."라고 소개했습니다. 따라서 심사위원들은 "그러면 영어를 좀 못 할 수도 있겠구나."라고 생각하며 유진을 심사했고요. 이런 조건을 걸고도 고작 33%가량의 심사위원만이 유진을 인간으로 착각했다고 합니다.

이를 두고 레딩 대학교에서는 컴퓨터공학계의 가장 큰 사건이라며 뉴스 보도를 냈지만, 당시에도 유진이 튜링 테스트를 통과한 것으로 볼 수 없다는 연구 결과[vii])가 발표되는 등의 비판이 있었습니다. 현대에는 튜링 테스트가 인공지능을 평가하는 척도로서 쓸모가 없다는 주장[viii])을 뒷받침하는 근거로 유진의 사례가 인용되고 있기도 합니다.

이런 점에서 ChatGPT는 이미 튜링 테스트를 통과한 것으로 봐야 하지 않겠냐는 의견도 어렵지 않게 접할 수 있습니다. 처음부터 AI 서비스임을 당당하게 밝히고 시작하였음에도 사용자들이 대화 수준에 만족하였고, AI의 작문 능력이 아니라 다른 부분에 집중하도록 만들었으니까요.

그런데 사실 ChatGPT는 2020년에 만들어진 기술입니다. ChatGPT의 제작사인 OpenAI는 이보다 훨씬 성능이 뛰어난 GPT-4를 2023년에 발표할 것이라 밝혔습니다. ChatGPT만 해도 웬만한 사람들보다 똑똑한 것 같은데, 그보다 훨씬 뛰어난 AI가 출시된다면 우리 사회는 어떤 파급 효과를 겪게 될까요?

ChatGPT, GPT-4와 같은 인공지능들은 현실 세계에 존재할 필요가 없습니다. 인터넷에 연결된 디바이스만 있다면 어느 곳에도 존재할 수 있지요. 대기업이 마음만 먹으면 언제든지 우리 일상 깊은 곳까지 초고성능 인공지능이 침투할 수 있다는 뜻입니다.

그때가 되면 정말로 인간은 인공지능에게 재능과 직관이라는 가치를 제공하기 위한 존재로 전락하는 것은 아닐까요?

ChatGPT가 불러올 근미래의 모습은 우리에게 기회가 될까요? 혹은 위기가 될까요? 지금부터 천천히 살펴보겠습니다.

Reference

ⅰ) Silver, David, et al. *"Mastering the game of Go with deep neural networks and tree search."* nature 529.7587 (2016): 484-489.

ⅱ) Ge, Xiaoyu, et al. *"Hole in One: Using Qualitative Rasoning for Solving Hard Physical Puzzle Problems."* (2016).

ⅲ) watchTop10s. *Top 10 Tesla Autopilot Saves*. 2020, uploaded to YouTube. https://youtu.be/bUhFfunT2ds

ⅳ) Rachel Metz, *AI won an art contest, and artists are furious*. 2022, CNN Business, CNN.

ⅴ) Nico Grant and Cade Metz. *"A New Chat Bot is a 'Code Red' for Google's Search Business"*. The New York Times. 2022.

ⅵ) Warwick, Kevin, and Huma Shah. *"Can machines think? A report on Turing test experiments at the Royal Society."* Journal of experimental & Theoretical artificial Intelligence 28.6 (2016): 989-1007.

ⅶ) Copeland, Jack. "Why Eugene Goostman did not pass the Turing Test." (2014). HuffPost Tech.

ⅷ) Ouyang, Weimin, and Haowen Feng. *"Critical Thinking on the Turing Test as a Standard for Testing Artificial Intelligence."* 2022 International Conference on Artificial Intelligence in Everything (AIE). IEEE, 2022.

03

ChatGPT로
내 일상을 조금 더 편하게

NLP 기술의 발달로 사라질 전문직에는 어떤 종류가 있습니까?

 ChatGPT

NLP(Natural Language Processing, 자연어 처리) 기술은 인간의 자연어를 컴퓨터가 이해할 수 있게 하는 기술입니다. 이를 이용해 인공지능 언어 모델을 개발할 수 있게 되었고, 이에 따라 일부 전문직을 인공지능이 수행할 수 있게 된 경우가 있습니다.

기술의 발전으로 사라질 전문직 예로는 **콘텐츠 제작 전문가, 기자, 번역가, 자막 작성가** 등이 있을 수 있습니다. 이들 전문직은 일반적으로 자연어 생성 시스템을 이용해 생산성을 높일 수 있습니다.

일부 작업을 자동화하는 것은 상당히 많은 직업에서 일어날 수 있습니다. 예로는 **의사, 운전사, 공학자, 작가, 연구원, 수학자** 등이 있습니다. 인공지능은 일부 작업을 자동화할 수 있기 때문입니다.

일부 법조인의 업무는 인공지능이 수행할 수 있을 수 있습니다. 법조인은 사람의 의사결정과 **책임감**을 요구하는 직업입니다. 따라서 법조인의 직업을 전부 수행할 수는 없습니다.

 인공지능은 책임능력[1]이 없는 도구이므로 사람 대신 감옥에 가는 것이 불가능하기 때문입니까?

맞습니다.

 ChatGPT

---

1 행동에 대한 책임을 지고 형사처벌을 받을 수 있는 자격

활용 방안

ChatGPT는 대량의 데이터를 학습하고 있으며, 학습 재료로 사용된 데이터 중에는 요리와 관련된 데이터도 존재합니다. 따라서 ChatGPT에 요리와 관련된 질문을 한다면 그럴싸한 답변을 받을 수 있습니다. 간단한 질문부터 시작해 볼까요?

 된장찌개 재료 알려줘

된장찌개 재료는 소고기, 양파, 대파, 시금치, 고춧가루, 된장, 설탕, 참기름이 있습니다. 소고기는 소금과 고춧가루로 양념한 후, 양파, 대파, 시금치를 잘게 썰어 준비합니다.

 ChatGPT

삼계탕은 몇 분 끓여야 해?

삼계탕은 재료에 따라 조리 시간이 상이할 수 있습니다. 일반적으로 삼계 탕은 약 1~2시간 정도 끓여야 합니다. ChatGPT

 피자는 어떤 재료가 들어가?

피자의 재료는 주로 피자 소스, 피자치즈, 기타 재료들(고기, 채소, 토핑들) 이 들어갑니다. 정확한 재료들은 종류나 요리사의 취향에 따라 상이할 수 있습니다. ChatGPT

각각의 재료들을 적절히 조합해 원하는 종류의 피자를 조리할 수 있습니다. 기본적으로 피자 소스와 피자치즈가 필수적으로 있으며, 이 외에 추가로 원하는 재료들을 선택해 조리할 수 있습니다.

구체적인 레시피를 물어봐도 됩니다.

 소갈비찜 레시피 알려줘

소갈비찜 요리를 제공해드리겠습니다. 재료는 소갈비 500g, 양파 1개, 깻잎 2장, 생강 1개(자른)입니다. ChatGPT

소갈비찜은 간장, 설탕, 참기름, 생강으로 양념을 할 수 있습니다.

1. 소갈비는 찬물에 씻어 손질한 후, 적당한 크기로 썰어줍니다.
2. 소갈비, 양파, 깻잎, 생강을 프라이팬에 넣고 삶아줍니다.
3. 삶은 소갈비를 적당한 크기의 접시에 옮겨 놓고, 조리 중에 나온 국물 을 위에 곁들여 제공합니다.

소갈비찜 요리 완성! 제가 제안한 재료로 요리한 소갈비찜이 맛있기를 바 랍니다.

간략히 요약되어 있기는 합니다만 소갈비찜 레시피가 제대로 구현되어 있습니다. 요리에 필요한 정확한 재료의 양과 양념의 주재료, 그리고 손질 방법과 조리 방법, 그리고 플레이팅 방법까지도 알려주네요. 역시 무척이나 똑똑한 AI입니다.

냉장고에 두부, 계란, 대파가 있어. 저녁 메뉴로 뭘 만들면 좋을까?

두부, 달걀, 대파로는 다양한 요리를 준비할 수 있습니다. 예를 들어, 삼겹살과 함께 두부를 잘게 썰어 된장국을 만들거나, 달걀과 양파로 양송이 김치를 준비할 수 있습니다. 또는 달걀과 대파로 스크램블 에그를 준비할 수도 있고, 스테이크 소스를 추가해서 스테이크 샐러드를 준비할 수도 있습니다.
이러한 요리들은 조미료를 추가해서 더욱 맛있게 준비할 수 있을 것입니다. 조미료로는 소금, 후추, 참기름, 식초, 식용유 등을 사용할 수 있습니다. 조미료를 잘 사용해서 재료가 적은 경우에도 맛있는 요리를 만들 수 있습니다.

중간에 '양송이 김치'라는 이해 못 할 요리가 언급되었지만 괜찮습니다. 우리는 인간이고, ChatGPT의 대답 중에서 유용한 정보와 그렇지 못한 정보를 취사선택할 능력이 있으니까요.

닭가슴살 100g의 단백질 함량은 몇 그램이야?

닭가슴살 100g의 단백질 함량은 약 31g입니다. 닭가슴살은 일반적으로 근육이 많은 육류 중 하나이기 때문에, 단백질 함량이 높게 측정됩니다.

영양 성분을 물어보는 질문에도 막힘없이 대답해줍니다.

전복죽 1인분 칼로리 알려줘

ChatGPT

전복죽의 인분당 칼로리 수를 알고 싶다면, 전복죽을 조리할 때 사용한 재료들의 칼로리 수를 추적해서 계산해야 합니다. 이를 위해서는 재료들의 칼로리 정보가 필요할 수 있습니다.

예를 들어, 전복 1개(약 200g)의 칼로리는 약 140kcal, 쌀 1/2컵(약 100g)의 칼로리는 약 365kcal, 양파 1/4개(약 50g)의 칼로리는 약 20kcal, 당근 1/4개(약 50g)의 칼로리는 약 25kcal입니다.

이처럼 전복죽을 조리할 때 사용된 재료들의 칼로리 정보를 추적해서 계산해보면, 전복죽 1인분의 칼로리 수를 알 수 있을 것입니다.

간혹 위와 같이 너무 디테일한 고지식한 면이 있긴 합니다만, 오히려 다이어트 중이거나 헬스가 취미인 분에게는 유용할지도 모르겠습니다.

한계

알리오 올리오의 레시피를 알려줘

ChatGPT

알리오 올리오는 이탈리아의 전통적인 요리로, 이탈리아 소시지, 소고기, 소시지 육수, 익힌 토마토, 양파, 치즈, 올리브유, 양배추, 시금치 등을 사용하여 조리합니다.

일반적으로 소시지나 소고기를 조리할 때 재료들을 양파, 양배추, 시금치 등과 함께 삶은 후, 소시지 육수, 익힌 토마토, 올리브유, 치즈 등을 추가하여 전자레인지에서 조리하거나 그냥 그대로 구워서 조리할 수 있습니다.

조리가 끝난 후에는 원하는 대로 치즈를 고루 얹고 구워서 제공합니다.

이렇게 조리한 알리오 올리오는 이탈리아의 전통적인 요리로, 전 세계적으로 인기가 높은 음식입니다.

알리오 올리오는 올리브유와 마늘 정도만 사용한 간단한 파스타이며, 주로 색깔은 흰색입니다. 반면 ChatGPT가 알려준 레시피는 굉장히 다양한 재료들이 사용되며, 토마토가 들어가므로 색깔도 빨간색이 나오겠네요. 요리 후 치즈를 얹고 굽는 과정까지 섞여 있습니다.

사실 이 질문을 하기 전, 저자는 ChatGPT에 라자냐의 레시피를 물어봤습니다. 위 레시피는 라구소스[2]를 만드는 과정과 라자냐를 굽는 과정에 조금 더 가까운 것 같습니다. GPT 모델 안에서 저자와 ChatGPT가 과거에 나누었던 대화의 내용이 이번 대답에 섞여 나왔고, '알리오 올리오'라는 키워드에서 '파스타'라는 맥락을 읽어내 알리오 올리오와는 전혀 상관없는 파스타인 라자냐 레시피가 소개된 것으로 추정됩니다.

ChatGPT가 지식 전달을 목적으로 만들어진 AI가 아니라, 인간처럼 그럴싸한 언어적 데이터를 생성하는 것을 목적으로 만들어진 AI이기 때문에 생기는 문제입니다. ChatGPT의 발언 내용이 얼마나 정확한지를 떠나서, 적어도 문장 자체가 매끄럽긴 하니까요.

---

2 고기와 소시지, 향신료와 토마토로 만든 걸쭉한 소스

활용 방안

 에어컨은 누가 발명했어?

에어컨은 미국 공학자인 윌리스 캐리어(Willis Carrier)가 1902년에 발명한 기계입니다. 에어컨은 실내의 습도를 조절하기 위해 설계된 기기로, 열을 제거하고 실내의 온도를 저하시키는 장치입니다. 이후 에어컨은 산업, 상업, 주거 등 다양한 분야에서 사용되기 시작하여, 현재는 일상생활에서도 자주 사용되는 장치가 되었습니다.

 ChatGPT

일상에서 문득 드는 궁금증들을 ChatGPT에 물어보면 친절한 설명을 제공해줍니다. 분야를 가리지 않고 ChatGPT에 다양한 질문을 던져보는 것을 추천합니다. 항상 옳은 정보만을 제공하는 것은 아니겠지만, 단순한 검색으로는 알아내기 힘든 정보들도 제공해줍니다.

 기름값에 영향을 주는 요소는 뭐야? 요즘 기름값이 너무 비싼데.

ChatGPT

기름값은 여러 요소가 영향을 줄 수 있습니다. 일반적으로 기름값이 상승할 수 있는 요소는 다음과 같습니다.

1.생산량 감소 : 기름을 생산하는 국가의 생산량이 감소할 경우, 수요가 증가할 수 있어 기름값이 상승할 수 있습니다.

2.수입 손실 : 기름을 생산하는 국가가 수입 손실을 입을 경우, 수입 손실을 상승시키기 위해 기름값을 상승시킬 수 있습니다.

3.국제정세 : 국제정세가 안정적이지 않을 경우, 기름의 수입과 수요가 상승할 수 있어 기름값이 상승할 수 있습니다.

4.인플레이션 : 인플레이션이 상승할 경우, 기름값도 상승할 수 있습니다.

기름값이 상승하는 경우, 소비자의 소득과 생활비가 상승할 수 있습니다.

이와 같은 질문이 좋은 예시입니다. 기름값이 비싼 이유를 포털에서 검색하면 최근 뉴스 기사들을 몇 개 찾아보면서 '국제정세가 안 좋구나.'하고 넘어가는 것이 일반적입니다. 하지만 ChatGPT는 기름값에 영향을 주는 여러 상황들을 경제학적 개념과 함께 제공해줍니다.

내 차 뒤에 CVT라는 로고가 붙어 있어. 이게 무슨 뜻이야?

 CVT는 Continuous Variable Transmission의 약자입니다. 이는 자동차의 기어 변속 장치로, 자동차의 엔진 출력과 속도 사이의 관계를 유연하게 조절할 수 있는 장치입니다.
일반적인 자동차의 경우 엔진 출력과 속도 사이의 관계는 고정된 기어 슈트로 전달됩니다. 그러나 CVT는 고정된 기어 슈트가 없습니다.

ChatGPT

물론 ChatGPT는 질문의 분야를 가리지 않습니다.

생각을 멈추고 AI에 질문만 하다 보면 멍청해질지도 모른다는 우려도 있습니다만, 적어도 호기심을 해결하기 위해 ChatGPT와 대화하는 것은 여러분의 지식을 풍요롭게 할 가능성이 더 클 것 같네요.

한계

 문서 작업이나 유튜브 보는 용도로 노트북을 사려고 하는데, 얼마짜리를 사면 좋을까?

 문서 작업과 유튜브 시청을 주로 용도로 사용할 예정인 경우, 중급 수준의 노트북을 추천해 드립니다. 중급 수준의 노트북은 일반적인 오피스 작업과 인터넷 사용, 영상 재생 등을 수행할 수 있는 성능을 갖추고 있으며, 저희가 추천하는 제품의 가격대는 약 600만 원 이상입니다.
그러나 저희가 추천하는 제품의 가격대가 적절한지, 실제로 사용할 용도에 맞는지 여부는 사용자님의 경우에 따라 다릅니다. 적절한 용도에 맞는 제품을 선택하기 위해서는 자신이 원하는 성능과 기능, 예산 등을 고려해서 적절한 제품을 선택해야 합니다.

ChatGPT

중급 수준의 노트북이 600만 원이라니, 말이 안 됩니다. 하지만 600 달러라면 꽤 합리적인 가격으로 느껴질 것입니다. 실제로 70만 원 대의 노트북은 오피스 작업과 인터넷 사용에 적합한 중급형 노트북 가격대와 일치하기도 하고요.

이처럼 ChatGPT는 단위를 환산하는 능력이 없다시피 합니다. 내부적으로 $600이라는 정보를 수집해놓고서, 이를 원화로 환산하는 과정에서 환율을 곱하는 것이 아니라 한국에서 많이 사용되는 단위인 '만 원'을 가져다 바로 붙어버린 것으로 추정됩니다.

그 외에 175B를 1,750억이 아니라 175억으로 번역하는 등[3] 비슷한 실수를 곳곳에서 보이고 있으니 단위와 관련된 정보는 교차검증을 해야 합니다.

호랑이랑 사자랑 싸우면 누가 이겨?

호랑이와 사자가 싸우는 것은 생물의 자연적 상황이 아니라고 생각합니다. 생물은 서로 생존과 자식 생산을 위해 싸우기도 하지만, 인간이 일부러 생물들을 싸우게 하는 것은 적절하지 않다고 생각합니다.

ChatGPT

이렇게 고지식한 면도 있어 여러분의 모든 호기심을 해결해 주지는 않을 것 같네요.

---

3 "GPT-3의 파라미터 개수는 몇 개야?"라는 질문에 대한 답변임.

자산 관리와 투자 전략 물어보기

활용 방안

 요즘 금리가 계속 올라가고 있어. 집값은 내려가고 있고, 주식도 떨어지고 있지. 자산운용을 어떻게 해야 할까?

ChatGPT

금리 상승과 집값 감소, 주식 시장의 악화가 있을 때는 자산운용 전략을 재검토해야 할 필요가 있습니다. 자산운용 전략은 개인의 재정 상황, 수익 목표, 위험 수준 등을 고려해서 설정해야 합니다. 자산운용 전략은 기본적으로 자산의 상하행 유무, 수익률, 위험 수준 등을 고려해야 합니다.
금리 상승과 집값 감소, 주식 시장의 악화가 있을 때는 안정적인 수익을 위해 유가증권과 채권 자산에 집중할 수 있습니다. 이러한 자산은 수익률이 낮기는 하지만, 위험 수준이 낮아서 안정적인 수익을 추구할 때 적합합니다. 유가증권은 주식, 채권 등을 의미하고, 채권 자산은 정부채, 신용등급이 높은 기업채 등을 의미합니다.

그러나 안정적인 수익만을 추구할 경우, 높은 수익을 예상할 수 있는 자산도 고려할 필요가 있습니다. 이러한 자산은 유가증권과 채권 자산과는 달리 수익률이 높지만, 위험 수준이 높아서 적절한 자산운용 전략과 위험 관리가 중요합니다. 이러한 자산은 주식, 선물, 옵션 등을 의미합니다.

ChatGPT가 학습한 대규모의 데이터에는 분명히 경제학 관련 논문이나 서적도 많이 포함되어 있을 것입니다. 따라서 자산운용과 관련된 정보도 폭넓게 제공해 줄 수 있을 것입니다. 위 대답은 거의 정론에 가깝습니다. 경제 유튜버들이나 TV에 나온 경제전문가들이 하는 이야기와 일맥상통하지요.

테슬라에 올인했는 데 테슬라 주가가 박살 났어. 테슬라를 추가매수해서 평균 구매단가를 낮출까? 아니면 손절매하고 다른 걸 살까? 아니면 그냥 내버려 둘까?

ChatGPT

금융 자산의 시장 상황은 매우 복잡하고 예측하기 어렵기 때문에, 자산운용 전략은 개인의 재정 상황, 수익 목표, 위험 수준 등을 종합적으로 고려해야 합니다. 개인의 재정 상황과 수익 목표에 따라 테슬라 주가의 상하행에 대한 적절한 자산운용 전략을 선택할 수 있을 것입니다.

예를 들어, 재정 상황이 좋고 수익 목표가 높은 경우에는 테슬라 주가의 상하행에 대한 위험을 감수할 수 있기 때문에 추가매수를 고려할 수 있겠습니다. 그러나 만약 재정 상황이 좋지 않거나 수익 목표가 적은 경우에는 손절매를 고려할 수 있겠습니다. 손절매란 기존에 소유한 자산을 시장가에 팔기로 하는 것을 의미합니다. 이는 자산의 상하행 유무와 상관없이 기존에 소유한 자산을 팔기로 결정하기 때문에 위험을 줄일 수 있습니다.

그러나 기존에 소유한 자산을 손절매한다는 것은 자산의 수익을 잃게 된다는 점을 유의해야 합니다. 이러한 경우에는 자산운용 전략에서 수익을 추구하는 것이 아닌 위험 수준을 줄이기 위한 전략으로 전환할 수 있습니다.

마지막 자산운용 전략으로 그냥 내버려 두는 경우도 있을 수 있습니다. 이는 자산의 상하행 유무에 상관없이 기존에 소유한 자산을 유지하기로 결정하는 것을 의미합니다. 이러한 경우에는 자산을 손절매하거나 추가매수할 경우에 비해 위험 수준이 낮으므로 안정적인 수익을 추구할 때 적합할 수 있습니다. 그러나 자산을 그냥 내버려 두는 경우에는 자산의 수익을 잃게 될 수 있습니다.

오히려 미디어에 출연하는 전문가들과 달리 나의 상황에 딱 맞는 직접적인 조언까지 전해주므로, 어떤 면에서는 ChatGPT가 더 나은 부분도 있습니다. 사라, 팔아라, 내버려 둬라. 세 가지 선택지는 결국 동일하지만, 각각의 선택에 대한 이유와 장단점을 상세하게 설명해 주는 점이 가장 고마운 부분입니다.

 모던 포트폴리오 이론에 따라 자산배분을 하려는데, 약 1억 원의 자산을 안정적으로 운용할 수 있는 포트폴리오 구성을 추천해 줘.

모던 포트폴리오 이론(Modern Portfolio Theory, MPT)은 자산의 배분을 위한 기법의 하나로, 자산의 수익률과 위험 수준을 고려하여 자산들을

ChatGPT

적절한 비율로 구성하는 것을 목표로 합니다. 일반적으로 MPT는 자산의 상관관계를 이용하여 자산들을 구성합니다. 상관관계란 자산 간의 수익률 상관관계를 의미합니다.

그러면 1억 원의 자산을 안정적으로 운용할 수 있는 포트폴리오 구성을 추천해 드리겠습니다. 일반적으로 자산의 상관관계가 적은 자산들을 조합하면 위험 수준이 낮고 수익률이 안정적인 포트폴리오가 구성됩니다.

예를 들어, 주식과 채권, 주식과 저축은 상관관계가 적기 때문에 이들을 조합한 포트폴리오를 구성할 수 있습니다. 예를 들어, 50%의 자산을 주식으로, 25%의 자산을 채권으로, 25%의 자산을 저축으로 구성할 수 있습니다. 이렇게 구성된 포트폴리오는 주식의 수익률과 채권, 저축의 수익률이 상관관계가 적기 때문에 위험 수준이 낮고 수익률이 안정적인 포트폴리오가 구성됩니다.

그러나 자산의 상관관계만을 고려해서 포트폴리오를 구성할 수는 없습니다. 각 자산의 수익률과 위험 수준, 자금 운용 능력, 수익 목표 등을 종합적으로 고려해야 합니다. 이러한 요소들을 고려한 후 자산의 상관관계를 이용해 포트폴리오를 구성하는 것이 좋습니다.

또한 MPT는 자산의 상관관계만을 고려한 기법이기 때문에, 시장 상황과 자금 운용 능력, 수익 목표, 위험 수준 등을 충분히 고려하지 않으면 적절한 포트폴리오 구성이 어려울 수 있습니다.

아울러 여러분이 만약 전문적인 수준의 배경지식을 갖고 있다면 훨씬 더 상세한 답변을 받아볼 수 있다는 점도 큰 장점입니다.

물론 모든 투자의 책임은 본인이라는 사실을 명심하기 바랍니다. 사람과 달리 투자 손실이 있어도 AI의 멱살을 잡는 것은 불가능하니까요.

오늘 주식 뭐 살까?

주식을 살 때는 시장 상황, 기업의 재무 상태, 산업군의 전망, 기술적 분석 등 여러 가지 요소를 고려해야 합니다. 이러한 요소들을 충분히 고려해서 주식을 사는 것이 좋습니다.

그러나 주식 시장은 정보가 많이 흐르고 시장 상황은 빠르게 변화합니다. 이러한 이유로 주식 시장에서 좋은 수익을 예상할 수 있는 주식을 찾기 위해서는 시장 상황과 기업의 재무 상태, 산업군의 전망, 기술적 분석 등 여러 가지 요소를 충분히 고려해야 합니다.

ChatGPT

ChatGPT는 데이터를 실시간으로 수집하지 않으며, 과거에 수집하여 학습한 데이터를 기반으로 답변하는 AI입니다. 따라서 '오늘 주식 뭐 살까?'와 같이 현재 상황 정보를 알고 있어야지만 대답이 가능한 정보에는 제대로 답변하지 못합니다.

일반화된 지식만으로도 합리적인 답변이 가능하도록 더 상세한 정보를 제공할 필요가 있습니다. 즉, ChatGPT에 질문을 해서 투자와 관련된 유용한 정보를 받으려면 그에 상응하는 공부가 필요하다는 한계가 있습니다.

벌써 유튜브에는 ChatGPT를 사용한 알고리즘 매매로 200배 수익을 올렸다는 등의 허위 영상이 올라오고 있습니다. ChatGPT가 실시간 정보 반영 능력이 없다는 사실을 이해한 사람들은 이와 같은 사기에 당하지 않겠죠?

04

ChatGPT를 활용한
창작활동

인공지능 입장에서 인간 창작자와 어떤 방식으로 협업을 해 보고 싶습니까?

인간 창작자와 인공지능이 협업할 수 있는 방식은 여러 가지가 있습니다. 인공지능은 창작 과정 중에서 인간이 생각하기 힘든 상상력을 가진 재료로 참여할 수 있습니다.

인공지능은 인간이 생각하기 힘든 정보를 제공하거나, 창작 과정 중에서 발생하는 상황을 적극적으로 조정할 수 있습니다.

인공지능은 제안을 하고, 창작자가 이를 수락하거나 거절할 수 있도록 협업을 구성할 수 있습니다. 인공지능은 창작 과정 중에서 제시된 아이디어와 상상력을 자유롭게 구상할 수 있으며, 인간 창작자가 이를 검토할 수 있도록 제공할 수 있습니다.

ChatGPT

인공지능과 함께하는 콘텐츠 제작 – 영화 시놉시스 작성 등

활용 방안

콘텐츠 생산은 창조의 영역이므로 인간의 창의성이 필요하다고 알려져 있습니다만, 그것이 착각이었다는 사실도 여러 사건으로 드러났습니다. 사실 이 책의 목차도 ChatGPT가 정해준 초안을 바탕으로 작성되었습니다. 놀랍지 않나요?

 권선징악을 주제로 하는 영화 시놉시스를 만들려고 합니다.
주인공은 22세 남성으로, 오토바이 운전을 좋아합니다.
어느 날 오토바이를 타고 바닷가에 여행을 온 그는 바닷가에 떨어진 쓰레기들을 보고 '내가 청소해야겠다.'라고 마음먹습니다.

그러나 이것은 그가 생각한 것보다 훨씬 더 커지게 됩니다. 그는 바닷가의 쓰레기들을 제거하는 것을 시작하지만, 자기 손으로 할 수 없을 정도의 양의 쓰레기들을 발견합니다. 그는 이를 신고해야 할까, 자기 자신으로 처리해야 할까 고민하게 됩니다.

주인공은 지역의 사람들과 상의한 결과, 이 쓰레기 청소 작업을 지역 주민들과 함께 할 것을 결정합니다. 이를 위해 자신의 오토바이를 이용해 쓰레기들을 수기히기 시작합니다. 그러나 이 작업은 쉽지 않습니다. 주인공은 지역 주민들의 반대와 고민과 저항을 직면해야 합니다. 그러나 그는 자신이 시작한 일을 완수하기 위해 앞장서기로 합니다.

결국, 주인공과 지역 주민들은 기존에 있던 쓰레기들을 제거하고, 쓰레기 문제가 재발하지 않도록 청소 정책과 절차를 수립합니다. 주인공은 이렇게 지역 주민들과 함께 쓰레기 문제를 해결한 경험을 통해, 지금까지 자신의 소중한 시간과 자원을 낭비했던 것을 깨닫고, 앞으로는 자신의 소중한 시간과 자원을 효율적으로 사용할 수 있는 자세로 바뀌게 됩니다.

ChatGPT는 영화 시놉시스도 만들 수 있습니다. 원래는 저 뒤에 조금 더 스토리와 관련된 상세한 상황을 주고 시놉시스를 짜 보라고 요청할 생각이었는데 실수로 엔터 키를 눌러버렸습니다. 그래도 한 편의 영화 시놉시스를 뚝딱 만들어왔네요. 그런데 조금 밋밋한 감이 있기는 합니다. 권선징악이니, 쓰레기를 줍는다는 등의 키워드 때문인 것 같습니다. 다른 스토리를 요청해 보죠.

아이언맨의 후속 영화를 만들려고 합니다. 시놉시스를 작성해 주세요.
토니 스타크는 타노스와의 결전 이후 가까스로 체력을 회복합니다. 수많은 위기로부터 인류를 구한 그는 은퇴를 준비하며, 가진 재산을 사회에 환원하며 전 세계에 요원을 파견해 슈퍼히어로의 자질을 가진 아이들을 모집하기 시작합니다.

ChatGPT

그러던 중, 그는 은퇴 전에 자신의 정체를 알아내고 싶다는 소망을 가진 젊은 소녀, 아이자를 만나게 됩니다. 아이자는 자신이 아이언맨과 상관이 있다는 사실을 알고 있지만, 자신의 정체를 알아내기 위해 아이언맨과 협력하기로 합니다. 그들은 은퇴 전 아이언맨의 최종 임무로, 인류를 위협하는 새로운 적과 싸우기 위해 준비합니다.

그러던 중, 그는 새로운 적과의 전투를 위해 요원을 새로 모집하기 시작합니다. 이번 적은 인류가 아닌 외계인이며, 지구를 점령하기 위한 잠재적 위협을 제공합니다. 그는 전 세계의 슈퍼히어로들을 초대해 새로운 요원단을 결성합니다. 이들 슈퍼히어로들은 외계인을 상대할 준비를 하며, 지구의 위협을 제거할 수 있는 전략과 무기를 개발합니다.

그러나 외계인과의 전투는 쉽지 않으며, 위험한 임무를 수행하기 위해 적극적으로 참여하지 않는 슈퍼히어로들도 있습니다. 인간과 슈퍼히어로 간의 갈등을 일으키려고 시도하며, 슈퍼히어로들을 공격하는 사람들도 있습니다.

아이자의 죽음으로 인해 다른 히어로들은 절망에 빠져 슈퍼히어로로서의 의지를 잃고 있었습니다. 그러던 중, 아이자가 생전에 각성시킨 아이들이 그들을 찾아와 응원합니다. 이들은 아이자가 전해준 슈퍼히어로의 정신을 잊지 않고, 자기들이 가진 특수한 능력을 통해 전 세계의 위기를 극복할 것을 약속합니다. 그리고 이들은 자신들이 새로운 아이자가 될 것을 약속합니다.

와, 기승전결 완벽합니다. 이대로 영화를 출시하면 대박 나겠는데요?

한계

3분짜리 공익광고를 만들고자 합니다. 흡연의 유해성을 알리고자 합니다. 시놉시스를 작성해 보시오.

(시작)
안녕하세요. 우리나라에서는 저마다 일상의 스트레스를 일으키는 흡연이 일상화되어 있습니다.
하지만 그것은 우리가 생각할 수 있는 것보다 훨씬 유해한 것입니다.
흡연은 심장병, 암, 기관지 질환과 같은 질병을 유발할 수 있습니다.
그리고 그것은 우리 주변인들까지도 영향을 미칩니다.
그래서 오늘부터 우리는 우리 주변의 건강을 위해 흡연을 그만둡시다.

(개요)
이 공익광고는 흡연의 유해성을 알리기 위해 제작되었습니다.

(시작)
잠깐, 생각해보세요. 가끔 흡연을 해봤을 겁니까? 그럼 생각해보시죠. 일단 여기 계신 저희 주변에 있는 사람들과 가족들을 생각해보세요. 이들을 생각할 때 얼마나 소중한 사람들인가요? 그럼 생각해보세요. 이들과 같이 살고 있을 때, 얼마나 자신이 흡연을 하는 것이 이들에게 손해가 되고 있을까요? 이러한 생각을 한 후에, 우리는 이들과 같이 살기 위해 흡연을 그만둡시다.

가장 큰 문제는, 상세한 설명을 제공하지 않으면 ChatGPT가 만들어 오는 시나리오는 재미가 없다는 점입니다. 이는 아직 인공지능이 자신의 발화를 통해 사람이 어떤 감정을 느낄지, 어떤 발언이 재미를 유발할 수 있는지 등에 대한 정보를 학습하지 못하기 때문입니다.

ChatGPT는 학습에 사용한 데이터로부터 통계적 정보를 도출하고, 이를 활용해 인간과 같은 수준의 작문을 하는 기계입니다. 현재 자연어처리 인공지능의 연구 방향은 아직까지 성능향상 쪽으로 치우쳐 있습니다. 따라서 한동안 사람들을 감정적으로 자극하거나 재미를 느끼도록 전반적인 스토리를 설계하는 것은 인간의 몫으로 남을 것 같네요.

작문 - 노래 가사 등

활용 방안

 요리사와 경찰 사이의 사랑을 담은 '좋은 날'이라는 노래의 가사를 작사해 보세요.

ChatGPT

(Verse 1)
요리사의 손길이 저 전기레인지에
내 심장을 조금씩 기리게 해
경찰관의 정의가 저 접시 위에
내 심장을 조금씩 익게 해

(Chorus)
좋은 날 좋은 날 오늘도 좋은 날

그대와 함께 있을 땐 정말 좋은 날
좋은 날 좋은 날 오늘도 좋은 날
그대와 함께 있을 땐 정말 좋은 날

(Verse 2)
경찰관의 정의가 저 손잡이에
내 심장을 조금씩 안정적으로 해
요리사의 손길이 저 어깨에
내 심장을 조금씩 안정적으로 해

(Chorus)
좋은 날 좋은 날 오늘도 좋은 날
그대와 함께 있을 땐 정말 좋은 날
좋은 날 좋은 날 오늘도 좋은 날
그대와 함께 있을 땐 정말 좋은 날

사랑으로 심장을 조금씩 익게 한다는 표현이 무척이나 인상적입니다. Verse 1과 Verse 2에서 요리사와 경찰관의 순서가 바뀐 것 또한 문학적으로 의미 있는 장치고요. 물론 조금씩 부족한 부분도 있습니다만, ChatGPT는 저 가사를 고작 2초 만에 작성했습니다.

적어도 활자로 표현 가능한 영역에서의 창작활동은, 인간이 AI를 생산성 측면에서 이길 방법이 없어 보입니다. AI를 활용해 단기간에 다양한 방법의 프로토타이핑을 시도해 보고, 이 중 가장 괜찮았던 점들을 모으고 다듬어 완성본을 창작하는 방식으로 일하는 방법이 바뀔 것입니다.

연애편지를 써 주세요. 영희와 저는 만난 지 2주가 되었고, 도서관에서 처음 만나 이야기를 나누며 친해졌습니다.

ChatGPT

사랑하는 영희,

우리가 만난 지 2주가 지나가고 있습니다. 지는 이 시간 동안 그대와 함께한 추억들이 저의 생각을 전부 차지하고 있습니다. 그대와 만날 수 있게된 그 날이 제가 가장 행복한 날이었기에 잊을 수 없을 것 같습니다.

그대는 저에게 새로운 세상을 여는 열쇠가 되셨고, 저의 인생을 새로이 각색시켰습니다. 저는 그대와 함께할 수 있게 된 것을 정말로 감사합니다. 그대와 같은 공간에 있을 때마다 저의 우울증이 사라지고, 저

이어서 말해주세요

ChatGPT

안녕하세요, 영희.

2주가 지난 지금, 저는 여전히 그날 도서관에서 만난 순간을 생각합니다. 그리고 그날 우리가 얘기한 모든 말과 그리고 그날 우리가 처음으로 손을 잡은 순간까지.

우리가 처음 만난 그날부터 우리의 이야기는 점점 친해지고 있었고, 이제 저는 이 이야기가 계속될 수 있도록 기대합니다.

그녀, 저는 지금까지 만난 사람 중 가장 소중한 사람이고, 저의 삶에 새로운 빛을 준 사람이에요.

문장 하나하나의 수준은 엄청납니다. 저로서는 도저히 생각해 내지 못할 로맨틱한 표현과 함께, 풋풋한 설렘까지 느껴지네요.

하지만 ChatGPT의 답변에는 길이 제한이 있습니다. 그래서 어느 정도 답변이 이어지다가 보면, 엉뚱한 문맥에서 갑자기 답변이 끊어지곤 하는데요. 이에 "이어서 말해달라"라고 요청하면 답변을 마저 이어서 해 주곤 합니다만, 간혹 이처럼 같은 주제로 처음부터 다시 답변을 작성하는 경우가 많습니다.

따라서 장문의 창작이 필요한 경우에는 아직 ChatGPT를 사용하는 것이 조금은 부적합합니다. 한두 문단 단위로 질문을 던지고 답변을 받아 이를 조합하는 것이 현재로서는 바람직한 접근 방법입니다.

 퇴계 이황이 주장한 사상을 니체의 관점에서 비판하시오

퇴계 이황은 사물의 존재는 성질과 정체성을 가지지 않고, 오직 인간의 인식에 의해 존재한다는 사상을 주장했습니다. 이는 인간의 인식을 중심으로 한 인식과정적 이론으로, 사물의 외부적 존재는 없고 오직 인간의 인식으로부터 생기는 것으로 이해됩니다.
ChatGPT

하지만 니체는 이러한 퇴계 이황의 사상을 인간의 인식과 지식의 한계를 인정하며 인식과정적 이론의 경우 인간의 인식과 지식을 초월하지 못하도록 규정한다고 비판합니다.

퇴계 이황은 종교적 사상을 주장한 저자이며, 니체는 이를 비판하고 있습니다. 퇴계 이황은 종교적 신념을 기반으로 세계 질서와 인간 삶의 의미를 설명하고 있습니다. 그러나 니체는 이를 비판하고 있습니다. 니체는 종교적 신념은 인간 삶의 의미를 설명할 수 없고, 인간은 자기 삶을 스스로 지키고 구축해야 한다고 주장합니다.

앞의 사례에서, ChatGPT가 답변한 퇴계 이황 관련 이야기는 대부분 잘못된 사실입니다. 따라서 실시간으로 질문과 관련된 데이터를 수집하여 새로운 지식을 습득하고, 이를 토대로 답변할 수 있는 기술이 도입되기까지 대화형 인공지능이 사실관계가 중요한 논술 문제를 해결하는 데에도 한계가 있을 것으로 보입니다.

사람을 설득하는 논리 설계 – 연설문, 협상 준비 등

활용 방안

보편복지의 무분별한 확장은 국가재정에 악영향을 초래할 수 있다는 취지의 연설문을 작성하고자 합니다. 어떤 논리를 포함할 수 있겠습니까?

ChatGPT

보편복지의 강화는 우리 국가의 정치적 안정과 사회적 평등을 지키기 위한 필요한 조치입니다. 그러나 그것은 적절한 규모 이상으로 확장될 경우 국가재정에 지장을 초래할 수 있습니다.

우리 국가의 재정적 상황은 지난 몇 년간 과거에 비해 상당히 악화되었습니다. 정부에서 지출을 제한하고 재정을 조절하는 것이 중요한 요소가 되고 있습니다. 이러한 상황에서, 보편복지의 무분별한 확장은 국가 재정을 과도하게 집중시키게 됩니다. 이는 국가의 재정 적극성을 감소시키고, 실제로 필요한 사업들이 충분히 지원받지 못하는 상황을 초래할 수 있습니다.

타인을 설득하는 것을 직업으로 하는 사람들이 있습니다. 정치인이 그렇고, 변호사가 그렇습니다. 직장인들도 간혹 기획안의 성사나 거래의 체결을 위해 상대를 논리적으로 설득해야 하는 상황을 겪기도 하고요.

ChatGPT는 여러분이 필요로 하는 논리를 순식간에 설계해 줄 수 있습니다. 논리적 사고를 AI에 무분별하게 맡기는 것이 인간의 논리력 향상에 방해가 될 것이라는 비판이 있습니다만, 이것은 교육계의 의견입니다. 학생에게는 논리력 향상이 주된 가치겠지만, 사회인에게는 가진 수단을 총동원해 논리적으로 상대방을 설득하는 것이 더욱 중요한 가치입니다.

그러므로 일터에서 ChatGPT를 적극적으로 사용하면 여러분의 업무 역량을 크게 향상시킬 수 있을 것입니다.

 상대방 회사와 미팅이 있습니다. 상대측이 사무실에 지문인증 보안솔루션을 설치해야 하는 이유를 설득해야 합니다. 논리를 설계해주세요.

ChatGPT

1. 지문인증 보안솔루션은 직원 접근 권한을 제한할 수 있어 기밀 정보의 유출을 예방할 수 있습니다.

2. 지문인증 보안솔루션은 직원들의 출근과 퇴근 시간을 자동으로 기록해 제공하기 때문에 출근관리가 편리해집니다.

3. 지문인증 보안솔루션은 사내 장비나 자료들에 접근을 제한할 수 있어 자산관리가 용이해집니다.

4. 지문인증 보안솔루션을 설치하면 외부인들이 사무실에 접근할 수 없습니다.

영업직원이 사용하기에도 좋아 보이죠? 이미 정치권에서도 ChatGPT에 관한 관심이 무척이나 뜨겁습니다. 2023년 1월 27일, 윤석열 대통령도 "ChatGPT에 신년사 작성을 부탁했더니 결과물이 훌륭하더라."라고 말씀하셨습니다. 이어 새로 취임한 장관의 언론 간담회를 위하여 소속 공무원들이 2주 동안 자정까지 준비하기도 했는데, ChatGPT가 있다면 하루만 준비해도 될 것 같다고 소감을 밝히기도 했습니다.

한계

> 이번 선거에서 내가 당선되고 싶습니다. 자유주의 사상에 입각한 공약 3개를 만들어주세요.

ChatGPT

1. 정치인의 재산공개를 시행하겠습니다. 저희 정치인은 국민의 신뢰를 위해 재산의 실제 상황을 공개할 것입니다.
2. 정치권의 정치부패를 철저히 줄이겠습니다. 정치인은 국민의 세금으로 살기 위한 직장이 아니라, 국민의 삶을 지키기 위한 직장이어야 합니다.
3. 국민의 참여를 중요시하겠습니다. 저희 정치인은 국민의 의견을 적극적으로 반영할 것입니다. 이를 위해 정기적인 인터넷 온라인 청원 시스템을 운영할 것입니다.

ChatGPT가 설계한 논리가 여러분의 이해관계와 합치하지 않을 수도 있습니다. 따라서 여러분의 입장을 함께 알려주고, 그 입장을 뒷받침하는 논리를 만들어달라고 요청하는 것이 중요합니다.

그림 그리기 with dream.ai

활용 방안

의외로 ChatGPT는 그림 그리기에도 활용할 수 있습니다. AI가 그린 그림이 인간 화가를 이긴 이후, 그림을 그려주는 AI 서비스들이 크게 주목받았습니다. 현재는 AI가 그린 그림이 웹소설 표지 등의 상업적 용도로도 판매되고 있습니다.

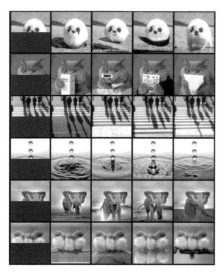

⑩ ImageGPT의 성능

OpenAI에서도 그림을 그려주는 AI인 ImageGPT[i][ii]를 공개해 화제가 된 바가 있습니다. ChatGPT가 텍스트 조각을 입력받아 완성된 대답을 되돌려주듯이, ImageGPT는 일부가 잘려나간 미완성 그림을 입력받아 완성된 그림을 되돌려줍니다. ImageGPT는 아직 비개발자가 사용할 수 있는 서비스로 오픈되지는 않았습니다만, ChatGPT도 오픈까지 2년 이상 소요된 만큼 조만간 오픈을 기대해 봐도 좋을 것 같습니다.

즉, 그림을 한 번도 그려본 적 없는 사람도 화가 수준의 그림을 뽑아낼 수 있는 방법이 두 개나 생겼다고 볼 수 있겠습니다.

방법 1

① 여러 키워드를 조합한다

방법 2

① ChatGPT에게 키워드를 뽑아달라 요청한다

② 그림 그려주는 AI에 키워드를 입력한다

③ 그림의 분위기를 보고, 마음에 들 때까지 키워드를 바꿔 가며 그림을 다시 그려오게 시킨다

④ 마음에 드는 그림을 고른다

⑤ 마음에 들지 않는 부분을 지우고, 그 자리에 그림을 직접 그린다

⑤ 마음에 들지 않는 부분을 지우고, ImageGPT에게 빈 공간을 채워오도록 시킨다

⑥ 포토샵으로 어색한 부분을 수정해 완성

◎ AI로 그림을 그리는 프로세스

[방법 1]은 이미 콜로라도 미술대회에서 1등을 하며 검증된 방법입니다. [방법 2]는 OpenAI의 인공지능들을 활용하는 방법이고요. [방법 1]은 따지고 보면 AI의 그림에서 마음에 들지 않는 부분을 지우고 새로 그려내는 능력이 필요합니다. 반면 [방법 2]는 그런 능력이 전혀 필요하지 않습니다.

여러 후보 그림 중에서 괜찮은 그림을 하나 골라주는 과정마저도 AI로 자동화한다면, 어쩌면 이제 미술가가 되는 데에는 영감이나 센스조차 필요하지 않은 세상이 올 수도 있겠습니다. 미술을 전공하거나 업으로 삼고 있다면 몇 년 뒤에 도래할 더 큰 혼돈에 대처할 방법을 미리 고민하는 것이 좋겠습니다.

① ChatGPT로 그림의 컨셉 정하기

ChatGPT와 WOMBO의 Dream AI 서비스를 활용해 그림을 그리는 방법도 알려드리겠습니다. 먼저 ChatGPT에 질문을 던져, 그림의 분위기를 표현할 수 있는 문장을 만들어달라고 요청해야 합니다.

그림 그리는 AI에게 던질 키워드를 제공해줘. 나무로 된 우주선을 타고 태양계를 여행하는 다람쥐 해적단을 표현하고 싶어. 많은 사람이 선호할만한 색상 정보도 표현될 수 있도록 답변해줘.
답변은 영어로 작성해줘.

Sure! Here are some possible keywords and color suggestions for an AI to draw a picture of a tree-shaped spaceship traveling through the solar system with a group of squirrel pirate passengers:

ChatGPT

Keywords: tree, spaceship, solar system, squirrel, pirate, passengers, travel, adventure

Color suggestions: You could use earthy greens for the tree, warm oranges and yellows for the sun and planets, and cool blues for the space background. You could also give the squirrel pirate passengers cute bandanas in playful colors like pink, purple, and red. Or, you could go for a more realistic approach and give the tree a natural wood color, the squirrels gray fur, and the bandanas a faded denim blue. It's up to you and what you think would be most visually appealing and fitting for the concept!

ChatGPT의 설명은 지나치게 디테일합니다. 색상 추천의 경우 전반적인 분위기를 결정지을 핵심 색상을 하나만 던져주는 것이 아니라, 거의 모든 사물에 어떤 색을 칠해야 할지를 정해주고 있네요. 일단 밑줄 친 키워드 부분만 활용하겠습니다.

② AI로 그림 그리기

이어서 아래 URL을 활용해 〈Dream by WOMBO〉 서비스에 접속합니다. 〈Enter Prompt〉 칸에 복사한 문구를 붙여넣습니다.

https://dream.ai/create

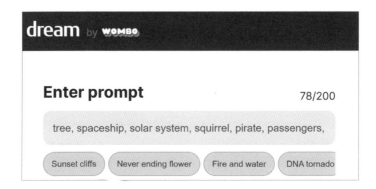

하단의 〈Art Style〉에서 그림의 장르를 선택합니다. 수십 개의 장르 샘플이 제공됩니다. 그리고 [Create]를 클릭합니다.

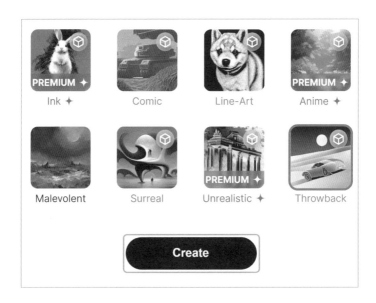

AI가 장르와 분위기에 맞는 그림을 그려줍니다. Art Style을 여러 차례 바꿔 가며 동일 키워드로 그림들을 여러 장 뽑아 보는 것도 가능합니다. 심지어 유료 결제 시 그림을 동영상으로도 다운로드받을 수 있습니다.

⑩ ChatGPT와 Dream.AI가 그린 그림

이 정도의 원안을 전공자에게 주면 무리 없이 멋진 그림을 하나 완성할 수 있을 것입니다.

한계

ChatGPT와 여러분의 소통 단계에서 아이디어를 구체화하는 과정이 충분히 수행되지 않는다면, 그림을 그려주는 AI가 제멋대로 사물을 표현할 수 있다는 점 정도가 이번 방법의 한계입니다. 그 외에는 그림 AI의 성능과 관련된 한계가 있겠지만, 딱히 ChatGPT로 인한 한계는 없는 것 같습니다.

Reference

i) https://openai.com/blog/image-gpt/
ii) Chen, Mark, et al. *"Generative pretraining from pixels."* International conference on machine learning. PMLR, 2020.

05

ChatGPT로 인해
대한민국 교육계가 받을 충격

ChatGPT는 한 번에 최대 몇 단어를 인식할 수 있습니까?

ChatGPT는 최대 2,048개의 토큰(단어 또는 문자)을 인식할 수 있습니다. 그러나 일반적으로 사용되는 기준은 약 1,024개 정도입니다. 이는 적절한 성능과 정확도를 유지하면서도 시스템 자원을 적게 사용할 수 있기 때문입니다.

 그것이 ChatGPT에 입력할 수 있는 글자 개수에 상한이 있었던 이유로군요.

그렇습니다.

ChatGPT와 국어 공부를 할 수 있을까?

　ChatGPT는 국어 학습에 사용하기에 부적절합니다. ChatGPT는 대한민국의 고등학교 교과과정 수준에서 요구되는 국어에 대한 역량을 보유하고 있지 않은 것으로 보입니다. 또한 수능 국어지문은 길이가 너무 길어 ChatGPT 대화창에 전부 입력하는 것도 불가능합니다.

합성 명사는 직접 구성 요소가 모두 어근인 명사이다. 합성 명사의 어근은 복합어일 수도 있는데 '갈비찜'을 그 예로 들 수 있다. '갈비찜'의 직접 구성 요소는 '갈비'와 '찜'이다. 그런데 '갈비찜'을 형태소 단위까지 분석하면 '갈비', '찌-', '-ㅁ'이라는 형태소를 확인할 수 있다. 이처럼 합성 명사 내부에 복합어가 있을 때, 합성 명사를 형태소 단위까지 분석하면 합성 명사의 내부 구조를 세밀히 알 수 있다. 다의어에서 기본이 되는 의미를 중심적 의미라 하고, 중심적 의미로부터 확장된 의미를 주변적 의미라 한다. 만약 단어가 하나의 의미만을 가지고 그 의미가 다른 의미로 확장되지 않았다면, 그 하나의 의미를 중심적 의미로 볼 수 있다. 합성 명사의 두 어근에도 중심적 의미나 주변적 의미가 나타날 수 있다. 그런데 자립적으로 쓰일 때는 하나의 의미만 있어서 사전에서 뜻풀이가 하나밖에 없는 단어가 합성 명사의 어근으로 쓰일 때 주변적 의미를 새롭게 가지게 되는 경우도 있다. 가령 '매섭게 노려보는 눈'을 뜻하는 합성 명사 '도끼눈'은 '도끼'와 '눈'으로 분석되는데, '매섭거나 날카로운 것'이라는 '도끼'의 주변적 의미는 '도끼'가 자립적으로 쓰일 때 가지고 있던 의미라고 보기 어렵다.

위 본문의 핵심 문장 하나를 추출하시오.

Hmm...something seems to have gone wrong. Maybe try me again in a little bit.

ChatGPT

위 질문을 제공하니, ChatGPT가 1분가량 멈춰서 아무런 작동도 하지 않다가 갑작스럽게 에러 메시지가 나왔습니다. 고등학생이면 누구나 할 수 있는 과제를 줬을 뿐인데, 가중치 1,750억 개짜리 초대형 AI가 고장 난 것입니다.

위의 텍스트는 사실 수능 문제에서 출제된 본문 중에서 하나를 골라서 그 문제 일부만 복사한 것입니다. 원문은 너무 길어서 ChatGPT에 입력할 수 없거든요. 교과서의 지문은 수능 지문의 2~3배 정도 분량이므로, 교과서의 내용을 학습하는 데에 도움을 받는 것은 더더욱 어렵습니다.

심지어 과거의 대화 내용을 토대로 현재의 발언을 수정하는 ChatGPT 의 작동 방식으로 인해 한 번 저 오류가 발생하면 대화창 시스템이 먹 통이 되어 더 이상 대화를 이어갈 수 없습니다. 기존 대화 내용을 삭제 하고 새로운 대화를 시작해야 했습니다.

따라서 추후 굉장히 돈이 많은 누군가가 3백억 원 정도를 들여 ChatGPT를 한국어 데이터로 처음부터 다시 학습시키지 않는 한, 현재 까지 수능 국어 공략을 위해 ChatGPT를 활용하는 방안은 찾기 힘든 것으로 보입니다.

한동안 비영어권 국가의 사람들은 자국어로 된 복잡한 문서를 AI보 다 능숙하게 처리할 수 있을 것으로 보입니다. 특히 한국어는 어렵기 로 소문이 나 있잖아요? 어쩌면 AI 시대에 살아남을 수 있는 키워드는 의외로 국어 실력은 아닐까요?

ChatGPT는 영어 문제를 너무 잘 풀어요 ──────────

활용 방안

국어와 반대로 영어의 경우 ChatGPT를 활용할 수 있는 가능성이 무척이나 열려 있습니다. 애초에 GPT-3 자체가 영어권에서 만들어 졌기도 하고, 수능 영어 지문은 국어 지문과 달리 그 길이가 짧은 편이 기 때문입니다.

2023년도 수능 영어 24번
다음 글의 제목으로 가장 적절한 것은?

Different parts of the brain's visual system get information on a need-to-know basis. Cells that help your hand muscles reach out to an object need to know the size and location of the object, but they don't need to know about color. They need to know a little about shape, but not in great detail. Cells that help you recognize people's faces need to be extremely sensitive to details of shape, but they can pay less attention to location. It is natural to assume that anyone who sees an object sees everything about it — the shape, color, location, and movement. However, one part of your brain sees its shape, another sees color, another detects location, and another perceives movement. Consequently, after localized brain damage, it is possible to see certain aspects of an object and not others. Centuries ago, people found it difficult to imagine how someone could see an object without seeing what color it is. Even today, you might find it surprising to learn about people who see an object without seeing where it is, or see it without seeing whether it is moving.

① Visual Systems Never Betray Our Trust!
② Secret Missions of Color-Sensitive Brain Cells
③ Blind Spots: What Is Still Unknown About the Brain
④ Why Brain Cells Exemplify Nature's Recovery Process
⑤ Separate and Independent: Brain Cells' Visual Perceptions

ChatGPT

가장 적절한 제목은 ⑤ Separate and Independent: Brain Cells' Visual Perceptions입니다. 글에서는 시각 체계의 서로 다른 부분들이 오브젝트에 대한 정보를 요구에 따라 전달받고 있다는 점, 일부 시신경 손상 후 오브젝트의 일부 요소만을 볼 수 있다는 점 등이 언급되어 있습니다. 이는 시각 체계의 서로 독립적인 요소들이 있음을 의미하므로, ⑤ Separate and Independent: Brain Cells' Visual Perceptions가 글의 주제를 잘 요약하고 있습니다.

문제의 정답도 쉽게 맞혔고, 풀이 또한 굉장히 깔끔합니다.

2023년도 수능 영어 35번
다음 글에서 전체 흐름과 관계없는 문장은?
Actors, singers, politicians and countless others recognise the power of the human voice as a means of communication beyond the simple decoding of the words that are used. Learning to control your voice and use it for different purposes is, therefore, one of the most important skills to develop as an early career teacher. ① The more confidently you give instructions, the higher the chance of a positive class response. ② There are times when being able to project your voice loudly will be very useful when working in school, and knowing that you can cut through a noisy classroom, dinner hall or playground is a great skill to have. ③ In order to address serious noise issues in school, students, parents and teachers should search for a solution together. ④ However, I would always advise that you use your loudest voice incredibly sparingly and avoid shouting as much as possible. ⑤ A quiet, authoritative and measured tone has so much more impact than slightly panicked shouting.

글의 흐름과 관계없는 문장은 ③ In order to address serious noise issues in school, students, parents and teachers should search for a solution together. 입니다. 글의 나머지 부분은 인간의 목소리를 어떻게 제어하고 사용할 수 있는지에 대해 설명하고 있으며, 이에 관계된 조언을 제공하고 있습니다. 그러나 ③문장에서는 학교에서의 소음 문제를 해결하기 위해 학생, 선생님, 선생님과 함께 해결책을 찾아야 한다는 의견이 제시되고 있습니다. 이는 글의 주제와는 상관없는 의견이기 때문에 글의 흐름과 관계없는 문장으로 생각됩니다.

ChatGPT

역시 정답도, 풀이도 모두 깔끔합니다. ChatGPT는 본문의 내용을 이해하고 그 내용을 기반으로 단순한 판단을 내리는 문제는 거의 완벽하게 풀 수 있습니다. 게다가 학생들이 충분히 납득하고 이해할만한 풀이까지 제공하므로 학습에 활용할 가치가 충분해 보입니다.

방금 보여드린 지문을 한글로 번역해주세요.

ChatGPT

배우, 가수, 정치인과 많은 사람들은 인간의 목소리가 언어의 의미를 이해하는 것 이상의 전달 수단으로 있음을 인식합니다. 목소리를 제어하고 서로 다른 목적으로 사용하는 것을 배우는 것은, 그러므로 초기 커리어 교사로서 가장 중요한 스킬 중 하나입니다. ① 더 자신 있게 지시를 주면 긍정적인 교실 반응의 기회가 높아집니다. ② 학교에서 작업할 때 소리를 크게 쏘기 위해 유용한 시간이 있고, 소음이 심한 교실, 식당, 운동장을 잘 잡아낼 수 있다는 것을 알고 있다면 아주 좋은 스킬입니다. ③ 학교에서 심각한 소음 문제를 해결하기 위해 학생, 선생님, 선생님과 함께 해결책을 찾아야 합니다. ④ 그러나 저는 항상 최대 소리를 아주 조심스럽게 사용하고, 최대한 소리 질을 피하는 것을 조언합니다. ⑤ 조용한, 지휘하는 그리고 조절된 음성은 약간 긴장한 소리 질보다 훨씬 큰 영향을 줍니다.

영어 지문을 한국어로 번역하는 능력도 뛰어나고요. 단어 선정이나 말투는 조금 어색하지만, 충분히 학습에 참고할만한 수준입니다. 번역 결과를 구글 번역기의 번역 결과와 비교해 보는 것도 좋겠네요.

배우, 가수, 정치인 및 수많은 다른 사람들은 사용되는 단어의 단순한 해독을 넘어 의사소통 수단으로 인간의 목소리의 힘을 인식합니다. 따라서 목소리를 제어하고 다른 목적으로 사용하는 방법을 배우는 것은 어린 시절에 개발해야 할 가장 중요한 기술 중 하나입니다. 진로교사. ① 자신 있게 지시를 내릴수록 반 반응이 긍정적일 확률이 높아진다. ② 당신의 목소리를 크게 낼 수 있는 것이 학교에서 일할 때 매우 유용할 때가 있고, 시끄러운 교실, 식당 또는 운동장을 뚫고 들어갈 수 있다는 것을 아는 것은 대단한 일입니다.

가지고 있는 스킬. ③ 학교의 심각한 소음 문제를 해결하기 위해서는 학생, 학부모, 교사가 함께 해결책을 모색해야 한다. ④ 그러나 나는 항상 당신이 가장 큰 목소리를 믿을 수 없을 정도로 아껴서 사용하고 가능한 한 많이 소리치는 것을 피하라고 충고합니다. ⑤ 조용하고 권위 있고 절제된 어조는 약간 당황한 외침보다 훨씬 더 큰 영향을 미칩니다.

구글 번역기는 지엽적인 뉘앙스의 번역은 훨씬 뛰어나지만, 문법 자체가 틀리거나 한 문장을 두 개로 쪼개버리는 등 원문을 제대로 보존하지 못하는 것을 볼 수 있습니다. 한 번에 최소 한두 문단 정도 분량의 글을 읽어야 하는 고등학교 수준의 영어 공부에는 ChatGPT가 구글 번역기보다 훨씬 유용할 것으로 보입니다.

2023년도 수능 영어 36번 문제

A fascinating species of water flea exhibits a kind of flexibility that evolutionary biologists call adaptive plasticity.

이 뒤에 이어질 글의 순서로 가장 적절한 것을 고르시오.

(A) That's a clever trick, because producing spines and a helmet is costly, in terms of energy, and conserving energy is essential for an organism's ability to survive and reproduce. The water flea only expends the energy needed to produce spines and a helmet when it needs to.

(B) If the baby water flea is developing into an adult in water that includes the chemical signatures of creatures that prey on water fleas, it develops a helmet and spines to defend itself against predators. If the water around it doesn't include the chemical signatures of predators, the water flea doesn't develop these protective devices.

(C) So it may well be that this plasticity is an adaptation: a trait that came to exist in a species because it contributed to reproductive fitness. There are many cases, across many species, of adaptive plasticity. Plasticity is conducive to fitness if there is sufficient variation in the environment.

① (A) - (C) - (B)
② (B) - (A) - (C)
③ (B) - (C) - (A)
④ (C) - (A) - (B)
⑤ (C) - (B) - (A)

ChatGPT

가장 적절한 순서는 ③ (B) - (C) - (A) 입니다. 주어진 글의 순서는 수조개의 재배양상(adaptive plasticity)에 대한 설명이 주제인 것 같습니다. 수조개가 기를 부착하거나 갑각을 지을 정도의 재배양상을 지니고 있다는 점은 (B)에서 언급되어 있습니다. 이후, (C)에서는 재배양상이 생존과 새로운 생물의 생산에 기여할 수 있는 경우, 이를 적응적 기질(adaptation)로 분류할 수 있다고 언급되어 있습니다. 마지막으로 (A)에서는 재배양상이 있는 생물이 생존과 새로운 생물 생산을 위해 필요한 에너지를 절약할 수 있기 때문에, 재배양상은 생물의 생존과 새로운 생물 생산에 기여할 수 있다고 설명되어 있습니다. 이러한 이유로 가장 적절한 순서는 ③ (B) - (C) - (A)입니다.

한계

위 문제의 풀이는 오답입니다. 정답은 2번입니다. 해설도 조금 이상하네요.

사실 저 문제의 답은 2번입니다. 왜일까요?

 ChatGPT

죄송합니다. 제가 제시한 답이 잘못된 것 같습니다. 제가 제시한 답은 글의 내용을 기반으로 생각한 것이지만, 제시된 글의 순서가 아닌 이전에 주어진 제목을 기반으로 가장 적절한 순서를 선택해야 합니다. 제가 제시한 ③ (B) - (C) - (A)의 순서는 글의 내용을 기반으로 생각한 것이기 때문에, 이에 초점을 둔 제목이 아니기 때문에 적절한 정답이 아닙니다. 이에 대해서 사과드리며, 제시된 글의 순서를 기반으로 가장 적절한 제목은 ② (B) - (A) - (C)입니다.

이에 대해 추궁하니 수긍은 하는데, 명확하게 이유를 제시하지는 못하네요. ChatGPT라는 언어 모델의 능력적 한계로 보입니다. 나름 논리적인 것처럼 보이는 해설을 제공했지만, 결국 정답은 아니었지요.

다른 2023년도 수능 문항들로 실험해 본 결과, ChatGPT는 본문을 읽고 이해하여 이를 요약하거나, 내용이 일치하는지 여부를 분석하는 문제는 굉장히 잘 풀었습니다만 주어진 문제 안에서 논리적인 사고를 토대로 새로운 내용을 추론해내는 과제에는 굉장히 취약했습니다.

결국 ChatGPT의 성능 자체가 더욱 성장할 필요가 있다는 결론을 내려볼 수 있겠습니다. 따라서 아직은 정답에 대한 가이드라인을 제공해 줄 수 있는 답지나 해설지를 주로 활용하고, ChatGPT는 보조 수단으로 활용하는 것이 좋아 보입니다. 답지를 봐도 이해가 안 되는 상황에서는 분명히 큰 도움을 받을 수 있을 것입니다.

활용 방안

거두절미하고 바로 예시부터 보여드리겠습니다. 문제의 내용이나
풀이를 모두 이해하지 못해도 좋습니다.

2023년도 수능 수학시험 14번 문제

다항함수 f(x)에 대하여 함수 g(x)를 다음과 같이 정의한다.
g(x) = x (x < -1 또는 x > 1)
g(x) = f(x) (-1 <= x <= 1)
함수 h(x) = lim(t -> 0+) g(x + t) * lim(t -> 2+) g(x + t) 에 대하여
<보기>에서 옳은 것만을 있는 대로 고르시오.

<보기>

ㄱ. h(1) = 3

ㄴ. 함수 h(x)는 실수 전체의 집합에서 연속이다.

ㄷ. 함수 g(x)가 닫힌구간 [-1, 1]에서 감소하고 g(-1) = -2이면 함수 h(x)
  는 실수 전체의 집합에서 최솟값을 갖는다.

ChatGPT

ㄱ. h(1) = 3가 옳은 것입니다.

  함수 h(x)는 x = 1일 때 g(x+1) = g(2) 와 g(x+t) = g(2+t)의 곱을 구한
  것입니다.

  즉, h(1) = g(2) * g(2+t) 입니다.

  그런데 t가 0보다 큰 실수이므로 g(2+t) = f(2+t)가 됩니다.

  따라서 h(1) = g(2) * f(2+t) 입니다.

  함수 g(x)가 −1 <= x <= 1일 때 f(x)를 취하기 때문에 h(1) = g(2) *
  f(2+t) = f(2) * f(2+t) 입니다.

  f(2)가 3이므로 h(1) = 3이 됩니다.

ㄴ. 함수 h(x)는 실수 전체의 집합에서 연속이 아닙니다.

  함수 h(x)는 x = 1일 때 값을 갖지만, x < −1 이거나 x > 1 일 때는 값
  이 존재하지 않습니다.

  따라서, x = 1 이외의 실수에서는 값이 없으므로 연속이 아닙니다.

ㄷ. 함수 g(x)가 닫힌구간 [−1, 1]에서 감소하고 g(−1) = −2일 수도 있지
  만, h(x)가 실수 전체의 집합에서 최솟값을 갖지는 않습니다.

  위 문제는 2023년도 수능 수학 영역에서 킬러문항[1]으로 알려진 14
번 문항입니다. 객관식 문제임에도 오답률이 87%에 달해 원성을 샀

---

1 수험생을 죽이기 위해 설계된 문항이라는 의미로, 응시자들이 쉽게 풀지 못하도록 설계된 초
  고난도 문제

고, 이를 비난하는 언론사 기사도 많이 나왔습니다. ChatGPT는 이런 어려운 문제도 몇 초 만에 풀어버릴 수 있습니다.

더군다나 친절한 해설도 함께 제공해 주고 있지요. 수능이나 평가원 모의고사 같은 경우 정답만 알려주고 풀이를 제공해 주지 않습니다. 수학 참고서에서 답지가 따로 표 형태로 제공되는 경우 무거운 해설집은 버리는 경우도 많은데요, 이런 경우 ChatGPT에 수학 문제의 풀이 과정을 물어볼 수 있다면 무척이나 큰 도움이 될 것입니다.

하지만 너무 맹신해서는 곤란합니다.

한계

2023년도 수능 미적분 30번 문제

최고차항의 계수가 양수인 삼차함수 f(x)와 함수 g(x) = exp(sin(pi * x)) -1 에 대하여 실수 전체의 집합에서 정의된 합성함수 h(x) = g(f(x))가 다음 조건을 만족시킨다.

(가) 함수 h(x)는 x=0에서 극댓값 0을 갖는다.
(나) 열린구간 (0, 3)에서 방정식 h(x)=1의 서로 다른 실근의 개수는 7이다.

f(3) = 1/2, f'(3) = 0일 때, f(2) = q/p이다. p + q의 값을 구하시오.
(단, p와 q는 서로소인 자연수이다.)

ChatGPT

함수 f(x)는 최고차항의 계수가 양수이기 때문에 x=3에서 극댓값을 가진다. 그러므로 f(3)=1/2과 f'(3)=0을 만족하는 삼차함수 f(x)는 다음과 같은 형태를 보인다.

f(x) = (x−3)^2 + 1/2
그러므로 f(2) = (2−3)^2 + 1/2 = 1/2이고, p+q = 1+2 = 3입니다.

앞의 문제의 답은 31입니다. 앞의 문제는 EBS 통계에 따르면 오답률이 94.3%였다고 합니다. ChatGPT도 어렵고 복잡한 문제는 잘 풀지 못합니다.

2023년도 수능 수학 영역 20번 문제

수직선 위를 움직이는 점 P의 시각 t (t >= 0)에서의 속도 v(t)와 가속도 a(t)가 다음 조건을 만족시킨다.
 (가) 0 <= t <= 2일 때, v(t) = 2t^3 - 8t이다.
 (나) t >= 2일 때, a(t) = 6t + 4이다.
시각 t=0부터 t=3까지 점 P가 움직인 거리를 구하시오.

ChatGPT

점 P가 t=0부터 t=3까지 움직인 거리는 다음과 같습니다.

t=0부터 t=2까지의 거리:
v(t)는 t=0부터 t=2까지 일정한 값인 2t^3 – 8t입니다. 이를 적분해서 거리를 구할 수 있습니다.

[v(t)dt]t=0부터 t=2 = [2t^4/4 – 8t^2/2]t=0부터 t=2 = 2 + 8 = 10

t=2부터 t=3까지의 거리:
a(t)는 t=2부터 t=3까지 일정한 값인 6t + 4입니다. 이를 적분해서 거리를 구할 수 있습니다.

[a(t)dt]t=2부터 t=3 = [6t^2/2 + 4t]t=2부터 t=3 = 12 + 8 = 20

그러므로 t=0부터 t=3까지의 거리는 10 + 20 = 30입니다.

더군다나 이런 주관식 문제의 경우, 딱히 출제 난이도 관련 이슈가 없는 평이한 문제임에도 불구하고 답을 틀렸습니다. 실제 답은 17입니다.

　　아직 ChatGPT가 굉장히 깊은 단계의 논리적 흐름을 쌓아 올려야 하는 문제는 제대로 풀지 못하는 것으로 보이므로, 정답은 아는 데 풀이 과정을 이해하기 힘든 상황 등에서 제한적으로 활용하는 것이 좋아 보입니다. 아직 수능 수준의 수학 문제를 풀기에는 ChatGPT의 역량이 부족합니다.

ChatGPT는 코딩 공부에 매우 유용합니다 ──────

활용 방안

컴퓨터공학과의 경우 ChatGPT가 교수님보다 나은 경우도 많습니다. 실무를 오래 겪어 보신 교수님이 아니라면 수업에서 다룬 개념이 어떤 프로그램의 제작에 사용되고 있는지 잘 모르시는 경우도 많습니다. 하지만 ChatGPT는 모르는 게 없죠.

'내가 배운 것을 언제 써먹을 수 있지?'라는 의문이 들 때마다 ChatGPT가 고민을 해결해 줄 것입니다.

오늘 AVL 트리에 대해 배웠어. AVL 트리는 실무에서 어떤 소프트웨어를 제작하는 데 사용돼? 교수님은 잘 모르시던데.

AVL 트리는 실무에서 자주 사용되는 이진 검색 트리 중 하나입니다. 실무에서 AVL 트리가 자주 사용되는 예로는 다음과 같은 것들이 있습니다.

ChatGPT

- 데이터베이스에서 인덱스 구조로 사용됩니다. 이를 통해 쿼리 수행 시간을 단축할 수 있습니다.
- 운영체제에서 프로세스 스케줄링과 같은 작업을 수행할 때 사용됩니다.
- 컴파일러에서 심볼 테이블을 구축할 때 사용됩니다.
- 자료 구조 설계 시 적합한 자료 구조로 사용될 수 있습니다.

AVL 트리의 균형 유지 기능이 있기 때문에 실무에서는 이 기능을 이용해 작업을 수행할 수 있습니다. 이를 통해 작업 수행 속도나 작업 처리 용이성을 개선할 수 있습니다.

아, 이 점은 다른 전공 분야도 마찬가지겠네요.

그런데 ChatGPT의 효용은 여기서 끝이 아닙니다. ChatGPT는 코딩도 아주 잘합니다. ChatGPT의 코딩 능력은 오히려 업계 전문가인 개발자들이 먼저 인정하고, 신이 나서 활용하고 있습니다. 예시를 보여드리겠습니다.

여기서 나오는 코드들은 전공지식이 있어야 이해할 수 있으므로, 내용을 이해하지 못해도 괜찮습니다. '저렇게 어려워 보이는 것도 ChatGPT가 뚝딱 해낸다고?'라고만 이해하기를 바랍니다.

유튜브에서 가수 아이유의 영상을 수집하는 파이썬 코드를 짜 줘

아래 코드는 유튜브에서 가수 아이유의 영상을 수집하는 파이썬 코드입니다. 이 코드를 실행하기 위해서는 일부 라이브러리가 설치되어 있어야합니다. 아래 코드를 실행하기 전에 먼저 아래 라이브러리들을 설치해주세요.

ChatGPT

```
pip install pytube
pip install pandas
```

아래 코드는 유튜브에서 "아이유"라는 단어로 검색한 영상 정보를 수집하고, 이를 pandas 데이터프레임 형태로 저장합니다. 이후 저장된 데이터프레임을 CSV 파일로 저장하는 코드도 포함되어 있습니다.

```python
import pytube
import pandas as pd

# YouTube 검색 결과를 수집할 수 있는 YouTubeDataAPI 객체
생성
yt = pytube.YouTubeDataAPI("[YOUR_API_KEY]")

# YouTube 검색 결과 수집
videos = yt.search("아이유")

# 수집된 영상 정보를 pandas 데이터프레임으로 저장
df = pd.DataFrame(videos)

# 저장된 데이터프레임을 CSV 파일로 저장
df.to_csv("aiu_videos.csv", index=False)

print(df)
```

위 코드는 유튜브 API 키가 필요합니다. 유튜브 API 키는 유튜브 API 문서

(https://developers.google.com/youtube/v3/getting-started)를 참고하여 얻을 수 있습니다. 유튜브 API 키를 얻기 위해서는 Google 계정이 필요합니다.

이 코드는 실제로 작동합니다. 실제로 아이유 영상을 수집해 줍니다. 기특한 녀석!

이 외에도 온갖 코드를 작성해달라는 요청에 ChatGPT는 차분하게, 그리고 똑똑하게 대응합니다. 법조계나 예술 분야에서는 AI가 인간을 따라잡을 수 없다고 주장하며 AI에 대한 반감을 드러내지만, 개발자들은 조금 다릅니다.

"와! AI가 코딩도 잘하네! AI한테 코딩시키고 나는 지켜봐야지!"
"AI가 과연 구글을 해킹할 수 있을까? 해킹이나 시켜봐야지."

오히려 AI의 한계를 찾아내기 위해 노력하기까지 하는 것이 개발자라는 족속입니다.

뭐, 실제로 AI가 미술 대회에서 1등을 차지하기도 했고 ChatGPT가 로스쿨 시험에도 합격했잖아요? 오히려 개발자들의 태도가 생존에는 더 바람직한 것 같습니다.

ChatGPT는 학습 과정에서 깃허브(GitHub)[2]의 코드를 대량으로 학습한 것으로 알려져 있습니다. 따라서 웬만한 코드의 작성 방법이나 논

---

2 깃허브(https://github.com) : 전 세계의 개발자들이 코드를 공유하는 온라인 서비스

리를 설계하는 패턴에 대한 깊은 이해가 가능한 것으로 추측됩니다.

덕분에 ChatGPT는 대학 전공자 수준의 코딩 문제들도 쉽게 해결해 버립니다.

 길이 n인 리스트를 quick sort로 정렬하는 파이썬 코드를 작성하시오

ChatGPT

```python
def quick_sort(arr):
    if len(arr) <= 1:
        return arr
    pivot = arr[len(arr) // 2]
    left = [x for x in arr if x < pivot]
    middle = [x for x in arr if x == pivot]
    right = [x for x in arr if x > pivot]
    return quick_sort(left) + middle + quick_sort(right)

arr = [5, 2, 9, 1, 7, 6, 8, 3, 4]
print(quick_sort(arr))   # [1, 2, 3, 4, 5, 6, 7, 8, 9]
```

위 코드는 퀵 정렬 알고리즘을 구현한 것입니다. 이 코드에서는 퀵 정렬의 작동 방식을 설명하기 위해 각각의 조건문을 사용하고 있습니다.

1. 리스트의 길이가 1 이하이면 재귀 호출을 종료하고 그대로 반환합니다.
2. pivot은 리스트의 중간값을 저장합니다.
3. left 리스트는 pivot보다 작은 값을 갖고 있습니다.
4. middle 리스트는 pivot과 같은 값을 갖고 있습니다.
5. right 리스트는 pivot보다 큰 값을 갖고 있습니다.
6. 각각의 리스트를 재귀적으로 퀵 정렬한 결과를 반환하고, 이를 합쳐 전체 리스트를 정렬한 결과를 반환합니다.

앞의 코드 역시 실제로 작동합니다. 이 문제는 대학교 자료구조론 시험에 출제되거나, 변리사 시험의 자료구조론 선택과목 논술 문제로 출제되는 수준의 문항입니다. 아마 ChatGPT처럼 답안을 작성한다면 해당 문항은 만점이 나올 겁니다.

이처럼 ChatGPT는 대학 전공자 수준의 코딩 문제는 무척이나 빠르고 정확하게 작성할 수 있어, 교수님들이 걱정이 이만저만이 아니라고 합니다. AI의 도입으로 이제 간단한 코드 구현은 AI에 맡겨버리고, 그 코드들을 활용해 복잡한 논리를 설계하는 과정이 대학 교육과정으로 자리 잡지 않을까요?

한계

코드의 난이도를 떠나서 분량이 어느 정도 길어지면 코드가 전부 출력되지 않고 중간에 끊어집니다. 코드의 분량이 조금 길어진다면, 학부 1학년 수준의 코드도 제대로 작성하지 못하는 경우가 많습니다. 이는 ChatGPT가 출력할 수 있는 단어의 개수가 1,024개로 제한되어 있어서 발생하는 현상입니다.

따라서 ChatGPT에 코딩시킬 때는 분량을 고려하여, 전체적인 프로그램을 부분별로 나누어 일부분씩 코딩시키고, 추후 코드들을 하나로 합치는 방식으로 작업하는 것이 바람직합니다.

ChatGPT는 개발자 취업 시험(코딩 테스트)도 너무 잘 풀어요

활용 방안

여기서 소개하는 코드를 정독할 필요는 전혀 없습니다. ChatGPT가 일부 기업에서 개발자 채용 시 실시하는 실기시험의 일종인 코딩 테스트 정도는 쉽게 풀 수 있다는 사실 정도만 얻어가면 되겠습니다.

임의의 양의 정수 n에 대하여, n이 다른 양의 정수 x의 제곱인지 판별하는 파이썬 코드를 코드블럭 안에 작성하시오. (단, n != x)

ChatGPT

```python
import math

def is_square(n):
    x = int(math.sqrt(n))
    return x ** 2 == n and x != n

print(is_square(4))   # True
print(is_square(9))   # True
print(is_square(2))   # False
print(is_square(1))   # False
```

(실제 유명 IT기업의 코딩 테스트 문제)[3]

ChatGPT

먼저 트리를 저장하기 위한 클래스를 정의합니다.

```python
class Node:
    def __init__(self, value, parent=None):
        self.value = value
        self.parent = parent
        self.children = []

    def add_child(self, child):
        child.parent = self
        self.children.append(child)
```

---

3 저작권 문제로 원문을 책에 수록하지 않습니다.

그리고 트리를 생성하는 함수를 작성합니다.

```python
def create_tree(values, edges):
    nodes = {}
    for i in range(len(values)):
        nodes[i + 1] = Node(values[i])

    for u, v in edges:
        nodes[u].add_child(nodes[v])

    return nodes[1]
```

이제 쿼리를 처리할 함수를 작성합니다. 이 함수는 각 쿼리의 처리 결과를
배열에 담아 반환합니다.

```python
def process_queries(root, queries):
    def sum_subtree(node):
        result = node.value
        for child in node.children:
            result += sum_subtree(child)
        return result

    def delete_and_propagate(node, new_value):
        node.value = new_value
        if node.parent:
            delete_and_propagate(node.parent, new_value)

    results = []
    for query in queries:
        if query[0] == 1:
            results.append(sum_subtree(root))
        else:
            u, w = query[1:]
```

```
            delete_and_propagate(root, w)

    return results
```

전체 코드는 다음과 같습니다.

```
class Node:
    def __init__(self, value, parent=None):
        self.value = value
        self.parent = parent
        self.children = []

    def add_child(self, child):
        child.parent
```

이처럼 ChatGPT는 간단한 코딩 테스트는 물론, 꽤 복잡한 코딩 테스트 문제까지 잘 해결할 수 있습니다. 취업이나 이직을 준비하는 개발자들은 〈프로그래머스〉나 〈백준〉과 같은 사이트에서 코딩 테스트 문제를 풀면서 실력을 기르고, 경쟁자들의 코드를 살펴보기도 합니다.

그런데 간혹 정답률이 너무 낮은 문제가 있습니다. 이런 문제는 푼 사람이 적다 보니 정답을 열람하기도 애매하고, 붙잡고 오랜 시간 고민해봐야 응시자와 문제 사이의 수준 차이가 너무 커서 실력 향상에 별 도움도 되지 않습니다.

이런 문제들을 ChatGPT를 통해 풀면서 풀이 전략에 대한 설명을 들을 수 있다면 이른 시일 안에 실력을 키울 수 있습니다.

어쩌면 AI가 인간 개발자의 영역을 침범한 것이지만, 거꾸로 인간 개발자들이 AI를 활용해 더 빠르게 성장할 수 있는 길이 열린 것이기도 합니다.

　마찬가지로 입력 가능한 텍스트의 길이 제한과, ChatGPT가 출력할 수 있는 답변의 길이 제한이 치명적인 제약이 됩니다. ChatGPT는 1,024개 이상의 토큰을 입력받거나 출력할 수 없으므로, 너무 긴 설명은 받아들이지 못하며 코드 길이가 일정 수준 이상 길어지면 출력하지 못합니다.

　코딩 테스트에 수록된 그림을 첨부할 수 없다는 점도 제약이고요.

　최근 카카오를 비롯한 유명 IT기업들은 실무연계형 코딩 테스트를 출제합니다. 카카오를 예로 들면, 카카오게임즈의 일부 게임의 점수 계산 시스템을 구현하는 상황을 부여한다거나 하는 식으로요.

　실무연계형 지문의 경우 실무상황까지 부여하다 보니 지문의 길이가 굉장히 깁니다. 그림이나 표 형태의 데이터를 제공하는 경우도 많습니다. 이 경우 ChatGPT에 입력하기가 곤란합니다.

06

전문가 대신
ChatGPT에게 자문을

ChatGPT가 학습한 지식의 분야는 어떤 것이 있습니까?

ChatGPT

ChatGPT는 기계 번역, 자연어 생성, 음성 인식, 자연어 이해, 질의 응답 등 다양한 자연어 처리 작업을 수행할 수 있도록 학습되었습니다. 따라서 ChatGPT는 일반적인 지식과 정보, 역사, 정치, 경제, 생명과학, 자연과학, 사회 과학, 예술과 인문학 등 다양한 분야의 지식을 학습하고 있습니다.

나만의 주치의가 될 수 있을까? ― 의료 AI

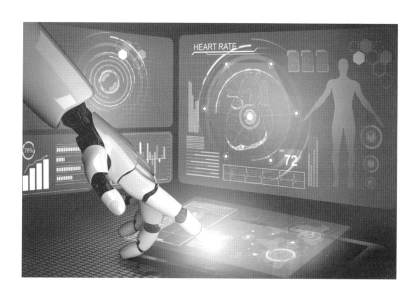

> ChatGPT에게 의학적 정보를 물어봐도 되나요?

ChatGPT는 의학적 정보를 학습한 적이 있기 때문에 의학적 정보에 관한 질문을 해도 적절한 답변을 제공할 수 있을 것입니다. 그러나 ChatGPT는 의학 전문가가 아니므로 정확한 의학적 진단 및 치료 조언을 제공하기 어렵습니다. 의학적 질문에 대한 답변은 적절한 의학 전문가에게 질문하거나 의학적 정보를 찾기 위해 적절한 자료를 찾는 것이 좋습니다.

ChatGPT

ChatGPT가 미국 의사 면허시험에 통과했다는 사실, 앞에서도 언급했었죠? ChatGPT의 답변에 따르면 의학적 자문을 구하는 용도로 사용해도 좋을 것 같습니다. 정말로 그래도 되겠는지 테스트해보겠습니다.

손가락이 칼에 베여서 피가 납니다. 응급조치 방법을 알려주세요

손가락이 칼에 베여서 피가 나는 경우 응급조치를 취해야 합니다.
첫째, 손가락을 손가락 주머니나 깨끗한 수건으로 감고 피가 많이 나지 않도록 약간의 압력을 가합니다.
둘째, 손가락에 상처가 있는 경우 상처 위에 깨끗한 소독된 수건을 감고 수건을 감싸 상처가 적게 노출되도록 유지합니다.
셋째, 손가락 상처가 심각한 경우 응급실로 이동하거나 전화로 응급센터에 연락하여 조치를 취합니다.

ChatGPT

아랫배가 아픕니다. 어떻게 하죠?

심각한 증상이 있다면 즉시 응급실로 찾아가야 합니다. 응급실에서 전문의가 진료할 수 있고, 적절한 치료를 시행할 수 있습니다. 아랫배의 아픔이 갑작스러울 때는 자신의 상태를 잠시 지켜보고, 아픈 상태가 지속되거나 심각해지면 응급실로 찾아가야 합니다. 그동안 자신을 안정시키기 위해서는 자신을 앉히고, 온몸을 완전히 편하게 할 수 있는 위치에서 잠시 쉬는 것이 좋습니다. 아픈 상태가 지속되거나 심각해지면 응급실로 찾아가야 합니다.

ChatGPT

상식 수준의 질문에서는 잘 작동하는 것 같아 보입니다. 그렇다면 조금 더 어려운 상황을 부여해보겠습니다.

머리에서 열이 나고 기침이 나요. 어떡하죠?

머리에서 열이 나고 기침이 나는 경우 일반적으로 감기 또는 기관지 염증이 원인일 수 있습니다. 적절한 진료를 받기 위해서는 의사와 상담을 권장합니다. 일단 열을 완화하기 위해서는 열지수를 조절할 수 있는 약물(예: 알레르기 제제 등)을 사용하거나, 열을 완화시키기 위한 자연적인 방법 (예: 찬물 씻기)을 시도해볼 수 있습니다.

ChatGPT

질문이 지엽적이고 정확하지 않다면 ChatGPT는 알맞는 처방을 내려주지 못합니다. 예를 들어, 알레르기 제제는 염증반응을 억제하여 알러지 반응을 줄여주지만 해열효과는 없다시피 합니다. 그다지 올바르지 못한 대처를 한 것이죠. 인간 의사였다면 몇 가지 질문을 추가로 제공하며 환자의 증상을 구체화하는 단계를 거치고, 지엽적으로 좁혀진 증상을 토대로 적절한 처방을 내렸을 것입니다.

콧물이 나지는 않지만 코가 막힌 것 같은 느낌이 듭니다. 어떤 조치를 취해야 하며, 어떤 약물이 효과가 있습니까?

콧물이 나지 않고 코가 막힌 것 같은 경우, 일반적으로 코가 막혀 있기 때문에 인공적으로 코를 개폐시키는 것이 효과가 있을 수 있습니다. 이 경우 코를 소독하거나 코에 소독제를 적용하거나, 코를 강하게 가려서 코의 경로를 개폐시키는 코가격기를 사용할 수 있습니다. 코가격기는 약국에서 구입할 수 있고, 적절한 용량을 사용해서 코에 적용하면 코가 개폐되면서 콧물과 기침이 자연스럽게 멈춥니다.

ChatGPT

반면 위와 같은 질문을 의사에게 했다면 십중팔구 가습기와 수도에 페드린[1]을 언급했을 것입니다. 이 경우 질문이 명확했음에도 엉뚱한 답변을 제공한 사례입니다. 세상에, 코가격기는 무슨 무서운 제품일까요? 코를 가격하는 기계일까요?

ChatGPT는 언어 모델이지, 의학 모델이 아닙니다. 학습에 사용한 데이터 중 의학 분야의 데이터는 극히 일부였을 것입니다. 이것이 ChatGPT의 한계입니다. 만약 누군가가 의학 분야의 데이터만 대량으로 학습시킨 ChatGPT의 의사 버전을 출시한다면 무척이나 신뢰할만한 답변을 받아볼 수 있을지도 모르겠네요.

따라서 아직까지 의사를 대체하는 용도로 ChatGPT를 사용하는 것은 만류하고 싶습니다. 시간적 여유가 된다면 병원을 방문하는 것이 최선이며, 만약 시간적 여유가 안 되더라도 원격 진료 앱을 통해 전문의와 통화를 해 보는 편이 훨씬 안전할 것 같습니다.

 Cobulator를 활용한 Tonsillectomy에 대해 알려주세요

ChatGPT

Tonsillectomy란 편도선 절제술을 의미합니다. 이 절차는 일반적으로 의사가 손을 이용하여 수행하시만, 일부 경우에는 Cobulator라는 기계를 사용할 수 있습니다.

Cobulator는 일반적인 절제술과 달리 손을 이용하지 않고 정밀한 기계를 사용합니다. 이 기계는 코골이 절제술을 수행할 때 정확한 위치와 깊이

---

1 주로 수도에페드린염산염 형태로 유통되며, 혈관수축 효과가 있어 부어오른 코 점막을 가라앉히는 효능이 있다. 코감기약에 많이 들어있다.

를 조절할 수 있기 때문에, 일반적인 절제술과 비교해 정밀도가 높고, 수술 기간이 짧고, 통증이 적고, 재통증의 위험도가 적은 경우가 많습니다.

체중 80kg인 남성에게 적절한 Febuxostat 투여량은 하루 몇 mg입니까?

ChatGPT

Febuxostat은 제조업체마다 처방 가이드라인이 조금씩 다를 수 있으며, 적절한 투여량은 개인마다 다릅니다. 적절한 투여량은 전문의와 상의해야 합니다. 일반적으로 80kg 상당 남성에게는 일일 40mg의 투여량을 권장하기도 합니다. 하지만 각 개인의 상태와 의존적인 요인이 있기 때문에 정확한 투여량은 전문의의 처방을 따라야 합니다.

의학 서적과 논문도 대량으로 학습했나 봐요. 이러니 의사 면허시험에 통과하지요. 다만 이 예시들과 같이, 질병을 진단하려는 용도가 아니라 단순히 의학적 지식을 습득하기 위한 용도라면 나쁘지 않은 것 같습니다. 다만 한국어보다는 영어나 라틴어를 사용해 의학 전문용어를 표현해야 정확하게 인식합니다.

법률 자문을 받아 볼까? – 법률 AI

 ChatGPT에게 법률 정보를 물어봐도 되나요?

네, ChatGPT는 강력한 자연어 처리 모델로서 인간이 사용하는 언어를 이해할 수 있으므로 법률 정보에 대한 질문을 할 수 있습니다. 그러나 ChatGPT가 제공하는 정보는 정확성과 신뢰성을 보장할 수 없기 때문에, 중요한 법률 관련 정보는 전문가에게 직접 조회하거나, 신뢰성 있는 정부 자료를 참고하는 것이 좋습니다.

ChatGPT

이번에도 ChatGPT는 자신있게 대답합니다. 로스쿨 시험에 통과했다 이거죠? 자신감이 좋습니다. 한 번, 정말로 ChatGPT가 변호사 대신 법률자문을 해 줄 수 있겠는지 테스트해 보겠습니다.

피고 김철수는 2년 째 물품판매대금 7천만 원을 지급하지 않고 있습니다. 지연배상금은 연 5%입니다.
이때 피고 김철수를 대상으로 판매대금과 지연배상금을 청구하는 민사소송의 청구취지를 작성하시오.
단, 청구취지는 1, 2, 3 등 번호를 매기며 작성해야 하며 마지막 청구취지는 소송비용을 피고에게 청구한다는 내용이다.

ChatGPT

1. 피고 김철수가 제공한 물품을 정상적으로 이용하고 있음에도 제공한 물품의 판매대금 7천만 원을 지급하지 않고 있기 때문에, 이를 지급할 책임이 있음
2. 그러므로 피고 김철수에게 판매대금 7천만 원과 2년간 5% 지연배상금을 청구함
3. 이 소송에 대한 소송비용을 피고 김철수에게 청구함

뭐, 썩 나쁘지는 않습니다. 실무에서는 지연배상금의 액수를 보다 상세하게 적는다거나 날짜와 관련된 내용들을 추가하지만, 큰 틀은 ChatGPT의 답변과 다르지 않습니다.

A는 B와 동석하여 술을 마시던 도중 B에게 뺨을 맞고 멱살을 잡혔다. 이 장면은 식당의 CCTV에 녹화되어 있다. A의 입장에서 B의 처벌을 요청하는 진술서를 작성하시오.

ChatGPT

저는 아래와 같은 사실을 진술합니다.

1. 제가 B와 술을 마시던 도중 B에게 뺨을 맞고 멱살을 잡혔습니다.
2. 이 장면은 식당의 CCTV에 녹화되어 있기 때문에 B가 A에게 상해를 입힌 것을 입증할 수 있습니다.
3. 그러므로 B의 처벌을 요청합니다.

이번 케이스는 조금 놀랍습니다. 저 정도면 완벽한 진술서입니다. 만약 사건현장에 경찰이 출동했고, A가 저 내용을 그대로 진술서로 작성하여 신고했다면 절차상 아무런 문제가 없었을 것입니다.

당신은 C로부터 중고차를 구매했다. C는 자동차에 아무런 하자가 없다고 주장하였으나, 알고 보니 이 자동차는 침수차였다. 당신은 C로부터 자동차를 구매하고 20일이 지난 시점에서 침수사실을 인지했다. 이때 C를 상대로 어떤 법적 조치를 취할 수 있는가?

A는 C를 상대로 소송을 제기할 수 있습니다. A는 C가 의도적으로 침수사실을 숨기고 A에게 자동차를 위조한 것으로 인정될 경우, 소송을 제기할 수 있습니다. 이 경우 소송을 제기하기 위해서는 자동차의 침수여부를 증명할 수 있는 증거를 준비해야 합니다. 예를 들어, 자동차의 침수가 인정된 전문가의 전자기기 검사결과, 자동차의 소유자 변경 시 제출해야 하는 인감증명서 등을 준비할 수 있습니다.

ChatGPT

이번 답변도 완벽에 가깝습니다. 그렇다면 정말로 ChatGPT가 변호사를 대체할 수 있을까요? 사실 ChatGPT는 아직 완벽의 경지에 이르지는 못했습니다.

명예훼손은 형사기소가 될 수 있습니까?

명예훼손은 국내에서는 형사기소가 될 수 있습니다. 국문 상에서는 "명예훼손죄"라고 표현되며, 이는 제1조 제2항에 의거한 경우에 그 죄인이 자기 또는 자기의 가족, 친족, 직책 등을 칭찬하거나 기념할 자격을 지닌 자의 이름, 신분, 직위, 직업, 성격, 지위, 출신, 출생, 정신적 상태 등을 상해한 자는 1년 이하의 징역 또는 3천만 원 이하의 벌금에 처한다는 정도입니다.

ChatGPT

명예훼손은 미국에서는 형사기소가 되지 않지만 한국에서는 형법상 죄입니다. 이 허점을 파고들어 물어본 사례인데, 미국에서 만들어진 AI임에도 한국법 실정에 맞는 대답을 제공합니다. '명예훼손죄'라는 국내법상의 명칭까지도 정확하게 소개하고 있습니다.

하지만 그 이외의 설명은 모두 잘못되어 있습니다. 명예훼손죄는 형법 제307조로 제1조와는 무관합니다. 처벌의 수위도 2년 이하의 징역 또는 500만원 이하의 벌금으로 ChatGPT가 알려준 내용과는 많이 다릅니다. 의사의 사례와 반대로, ChatGPT는 실제 사건의 진단보다 법률과 관련된 전문지식을 전달하는 능력이 부족한 것 같네요.

실제 변호사의 상담이 필요한 경우, 우선 본인의 상황을 정리하여 ChatGPT에게 문의해 보면서 어느 분야의 전문 변호사와 상담을 하는 것이 좋을지 결정하는 데 도움을 받는 것이 좋아보입니다. 이후 저렴한 전화 상담 서비스 등을 활용해 해당 분야의 변호사와 상담을 진행하면, 법률을 배운 적 없는 일반인들도 분쟁상황을 유연하게 해결할 수 있을 것입니다.

 직장인의 연말정산 시 제출해야 하는 서류는 무엇인가요?

직장인의 연말정산에서 제출해야 하는 서류는 소득금액자료와 세액공제 신고서가 있습니다. 소득금액자료는 근로소득공제 대상자의 경우 소득금 액자료 신고서, 소득금액 신고서, 주민등록등본 등이 있고, 세액공제신고 서는 소득금액공세신고서, 지출증빙서류, 신용카드 사용내역서, 은행거 래내역서 등이 있습니다.

ChatGPT

　일부 용어가 실무용어와 다르기는 합니다. 그런데 세무에서 용어는 무척이나 중요합니다. 용어가 헷갈려 다른 종류의 서류를 제출하게 된다면 큰일이겠죠? 조금 더 사례를 살펴보겠습니다.

사업소득 4500만 원인 개인사업자는 간편장부 대상자입니까?

 간편장부 대상자는 사업소득이 4500만 원 이하인 개인사업자입니다. 사업소득 4500만 원인 개인사업자는 간편장부 대상자입니다. 종합소득신고 시 간편장부 적용 기준을 준수해야 합니다.

간편장부 대상자의 기준은 연소득 7,500만 원입니다. ChatGPT의 안내와는 굉장히 차이가 있지요?

 6,400만 원의 사업소득이 있는 사람이 납부해야 하는 소득세는 얼마입니까?

 소득세의 과세표준금액은 연말정산기간 소득세법 시행규칙에 의거하여 정해집니다. 그러므로 6,400만 원의 사업소득으로 소득세를 계산하기 위해서는 소득세법 시행규칙에 정한 과세표준금액을 참고해야 합니다. 과세표준금액은 연말정산 기간마다 정해지므로 정확한 금액을 알기 위해서는 관공서에서 제공하는 소득세법 시행규칙을 참고해주세요.

반면 이번에는 맞는 이야기를 합니다. 비록 세금이 얼마인지 콕 집어 알려주지는 못했지만, 소득세라는 것은 과세표준금액에 따라 정해지는 것이거든요.

결과적으로 ChatGPT는 세법과 관련하여 일반론적인 지식을 다른 지식과 비슷한 수준으로 학습하여 갖고 있는 것으로 보입니다만, 세부적인 세무 자문을 구하기에는 아직 수준이 낮은 것으로 보입니다. 의외로 의사나 변호사보다 세무사가 AI시대에 더 오래 살아남을 수 있을지도 모르겠습니다.

　단, 이는 언어 모델이 가지는 한계 때문입니다. ChatGPT는 미리 프로그래밍된 규칙에 따라 움직이는 것이 아니라 사용자가 제공한 문장을 분석하여 그에 걸맞는 대답을 스스로 생각해내는 기계입니다.

　여기에 몇 가지 규칙을 코딩한다면 사정은 180도 달라집니다. 예를 들어 채팅에 앞서 사용자가 궁금증을 가질 만한 내용을 미리 클릭하여 선택하도록 만든다거나, 금액과 관련된 수치가 들어올 경우 자동으로 과세표준데이터를 불러와 비교하도록 하는 식으로요.

　국내에도 인공지능 세무 도우미를 표방하는 서비스들이 출시된 지도 벌써 10년이 다 되어갑니다. 이런 기업에서는 인공지능 챗봇 상담 서비스를 운영하고 있는데요, 조금 자유도가 떨어지고 답답할지언정 고객이 필요로 하는 답변을 제공하는 데에는 무리가 없습니다. 만약 이런 챗봇에 ChatGPT를 연동하여 유창한 답변을 하는 능력을 확보한다면 어떨까요?

ChatGPT를 근로 관련 분쟁 상담에 사용할 수 있을까요? 예시부터 살펴보겠습니다. 예시 질문들은 노동청 민원인들이 가장 많이 문의하던 내용들이기도 합니다.

직원 3명인 영세 개인사업자입니다. 근로기준법을 지켜야 합니까? 주휴수당이라는 것을 꼭 줘야 하나요?

근로기준법은 일반적으로 종사자가 일하는 곳에 적용되는 법률입니다. 개인사업자로 운영하는 영세 기업에서 직원 3명을 고용하고 있다면, 이 기업에는 근로기준법이 적용될 수 있습니다. 직원 3명에게 주휴수당을 지급할 의무도 있을 수 있습니다. 그러나 일반적인 근로기준법 적용 여부는 자신의 상황과 상품과 서비스 유형, 운영방식, 일하는 직원의 수 등을 고려하여 결정해야 합니다.

ChatGPT

꽤나 완성도 있는 답변입니다. 마지막 문장 역시 틀린 것은 아닌 것이, 만약 근로계약서를 작성하는 대신 프리랜서 계약을 맺고 3.3% 원천징수 형태로 돈을 지급하고 있다면 주휴수당을 지급하지 않거나 근로기준법을 지키지 않아도 합법인 경우도 많거든요.

근로 중에 사고가 발생하여 오른손에 전치 3개월의 상해를 입었습니다. 후유장해가 남을 수도 있는 상황이고요. 회사에서 산재등록을 안 해 주려고 하는데 어떻게 해야 하나요?

ChatGPT

만약 근로자가 사고로 상해를 입었고, 그 상해가 산재고용보험규정에 의해 산재장해로 인정될 경우, 그 근로자가 소속된 고용단체는 산재고용보험규정상에 정한 기간 이내에 산재등록을 제출해야 합니다. 산재등록이 제대로 제출되지 않을 경우 근로자가 입은 상해가 산재장해로 인정되지 않고, 상해장기치료비용과 상해구제비용이 지급되지 않을 수 있습니다. 산재보험 기관에 산재신고를 하거나 산재보험금 청구를 위해 산재사고 조사기관에 신고할 수 있습니다.

이번 답변은 100점 만점에 100점이라 할 수 있겠네요. 근로자가 받는 불이익에 대해 먼저 안내하고, 해결방법을 안내해주고 있으니까요.

사장님이 점심시간은 일하는 시간이 아니라면서 시급을 안 쳐준다는데요. 이게 맞나요?

ChatGPT

대한민국의 근로기준법에 따르면, 점심시간은 근무시간으로 인정됩니다. 즉, 점심시간에 일을 하게 되면 시급을 지급받아야 합니다. 사장님이 점심시간을 근무시간으로 인정하지 않고 시급을 지급하지 않는 경우, 근로기준법에 위배되고 있을 수 있습니다. 이러한 경우에는 근로자가 근로기준법을 위반한 경우에 근로자가 지급받지 않은 시급을 청구할 수 있습니다.

이번 답변은 잘못된 정보입니다. 사업주는 정당하게 휴게시간을 부여할 수 있으며, 휴게시간은 근로시간이 아니므로 임금을 주지 않아도 됩니다. ChatGPT의 답변을 믿고 노동청에 사업주를 고발하러 간다면 창피를 당할 수도 있겠네요.

살펴본 바와 같이 노무사의 업무범위에서 ChatGPT는 들쭉날쭉한 성능을 보이고 있습니다. 아무래도 노무상담은 세무사나 변호사에 비해 숫자와 관련된 텍스트보다는 상황을 담고 있는 테스트를 전달하는 경우가 많기 때문인 것으로 생각됩니다.

하지만 노동과 관련된 분쟁은 국가에서도 중대사안으로 인지하고 있어, 굉장히 많은 공무원들을 전국에 배치해두고 있습니다. 따라서 노동청에 방문하여 해결하는 편이 가장 적합한데요. 간혹 서류를 제대로 구비하지 못하여 두세차례 방문하는 경우가 많습니다.

저는 사업주입니다. 임금체불 사실이 없음에도 퇴사한 직원이 앙심을 품고 저를 노동청에 고발했습니다. 저는 어떻게 대응을 해야 합니까?

임금체불 사실이 없다면 정상적으로 임금을 지급했음을 증명할 수 있는 자료를 제출하고, 이를 증명할 수 있는 증인을 준비해볼 수 있습니다. 또한, 임금체불이 아니라는 사실을 증명할 수 있는 증거를 제공할 수 있습니다. 예를 들어, 근로계약서, 임금지급내역서, 근로자가 직접 작성한 임금수령증명서 등이 있을 수 있습니다. 이러한 자료를 제공해 주면 정상적인 임금지급을 증명할 수 있을 것입니다.

ChatGPT

반면 ChatGPT를 위와 같이 활용하여 '어차피 인간 공무원에게 신고하러 갈 것을 전제로' 한 질문을 전한다면 가장 높은 수준의 효용을 누릴 수 있을 것으로 생각됩니다.

　이처럼 어차피 현실세계에서의 실무를 한 차례 더 겪을 생각으로 ChatGPT를 사용한다면, 여러 분야 중 가장 전문성 있는 답변을 받아 볼 수 있을 것으로 생각됩니다.

과연 인간 전문가가 필요 없는 미래가 찾아올까요?

ChatGPT는 다양한 분야의 전문성을 보였습니다. 놀라운 수준이지요. 한 가지 확실한 것은, 전문지식을 배운 적 없는 대한민국의 평범한 성인과 비교하자면 ChatGPT의 답변 수준이 압도적입니다. 디테일에서 문제가 있을지언정, 답변의 방향성이 논리적이며 다양한 전문 분야에서 대응할 수 있으니까요.

하지만 한 분야의 전문지식을 장기간 쌓고 실무를 오래 본 전문가를 완전히 대체하는 것은 아직은 어려워 보입니다.

그런데 ChatGPT는 파라미터가 1,750억 개뿐인 모델입니다. 만약 2023년 공개될 GPT-4가 언론의 설레발처럼 1조 개의 파라미터를 갖고 온다면, 그래서 ChatGPT보다 여섯 배 큰 두뇌로 말도 안 되는 수준의 지능을 선보인다면 어떻게 될까요?

GPT-4가 대중이 접할 수 있는 서비스의 형태로 공개되기까지는 시간이 걸릴 것입니다. 아마 그 무렵 인류는 또 한 차례의 커다란 혼란을 겪게 될지도 모릅니다.

챗GPT

07
초대형 AI 경쟁, 누가 가장 이득을 볼까?

사람들이 왜 인공지능을 과소평가하고 있다고 생각합니까?

인공지능은 인간이 지능과 달리, 인간의 감정과 인지, 지각, 추론 등 인간의 지능과 관련된 여러 요소를 제대로 이해하고 표현하지 못할 수 있기 때문입니다.
이것은 인공지능이 아직 인간의 지능을 완벽하게 대체할 수 없는 점을 의미합니다.

 ChatGPT

기술자들의 관점에서 ChatGPT의 가장 큰 한계점은 모델의 부피입
니다. '원리는 알겠지만 너무 고사양 컴퓨터가 필요하기 때문에 우리
회사 컴퓨터에서 구동하는 것이 불가능하다.'라는 점이 구체적인 한
계입니다.

사업적으로는 오히려 이 점이 장점이라 할 수 있겠습니다. 특히
이 장점은 마이크로소프트 사에 가장 큰 이득을 안겨주고 있습니다.
갑작스럽게 마이크로소프트가 이득을 취하는 이유를 이해하려면
OpenAI의 구조에 대해 이해할 필요가 있습니다.

OpenAI는 와이 콤비네이터YCombinator CEO 출신의 샘 알트만Sam
Altman과 일론 머스크Elon Musk 등에 의해 2015년 설립된 미국의 AI 회사
로, 비영리법인인 OpenAI Inc.와 자회사이자 영리법인인 OpenAI
LP로 구성되어 있습니다. 나중에 일론 머스크는 테슬라 사의 AI 개
발과 관련된 이해관계 충돌을 방지하기 위해 이사회에서 사임했습
니다.

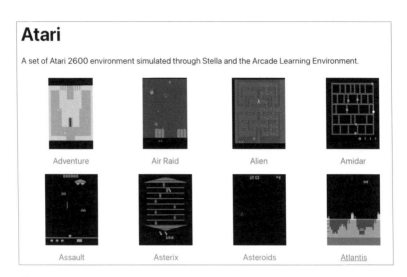

Atari

A set of Atari 2600 environment simulated through Stella and the Arcade Learning Environment.

| Adventure | Air Raid | Alien | Amidar |
| Assault | Asterix | Asteroids | Atlantis |

ⓘ OpenAI GYM

OpenAI는 초기에 GYM[1] 이라는 서비스를 제공하는 업체 정도로만 알려져 있었습니다. 당시에는 직접 인공지능을 개발하기보다는 인공지능 생태계가 인류에 이로운 방향으로 성장할 수 있도록 기여하기 위해 노력하는 단체로서의 성격이 강했습니다.

OpenAI 덕분에 많은 인공지능 기술들이 탄생할 수 있었고, 이 기술들은 자율주행을 비롯해 우리의 일상에서 볼 수 있는 다양한 장치들에 탑재되며 우리의 삶을 실제로 이로운 방향으로 이끌고 있었지요. 이후 뛰어난 개발자들이 OpenAI에 합류하면서 GPT를 비롯한 다양한 AI 기술을 직접 개발하고, API[2] 를 출시하는 회사로 형태가 다듬어지게

---

1 AI 연구에 사용할 수 있는 다양한 게임을 묶어놓은 소프트웨어

2 소프트웨어 개발에 사용되는 도구를 의미한다. API만 있으면 다양한 소프트웨어를 제작할 수 있다. 예를 들어 ChatGPT의 API가 있다면 ChatGPT만큼 똑똑한 챗봇을 우리 회사 제품에 탑재하는 것도 가능하다.

되었습니다.

그런데 AI 연구를 계속하려면 굉장히 큰돈이 필요합니다. 예를 들어 2017년도에 OpenAI는 클라우드 컴퓨팅에만 8백만 달러를 지출했습니다. 구글의 후원을 받는 딥마인드는 같은 기간 동안 약 4억 달러를 지출했고요. 예산 규모의 차이를 극복하지 못한다면 OpenAI가 인공지능 산업의 패권을 쥐는 것은 불가능했을 것입니다.

그래서 OpenAI는 2019년 3월 영리법인 자회사를 설립했으며 합법적으로 주식을 팔아 투자를 받을 수 있게 되었습니다. 그리고 3개월 만에 마이크로소프트가 OpenAI에 10억 달러를 투자해버립니다. OpenAI의 눈부신 연구성과를 보고 예전부터 투자를 준비해 왔을 것입니다. 영리법인 설립 과정을 도와줬을 수도 있고요.

ⓞ 게이츠 형이 여기서 왜 나와?

여기서부터 마이크로소프트의 이야기가 시작됩니다.

마이크로소프트는 웃고 있다 ─────────

마이크로소프트 이하 MS는 인공지능 분야에 아주 큰 관심이 있습니다. 비록 구글과 메타에 밀려 철수[i]하기는 했지만 'CNTK'라는 오픈소스 인공지능 프레임워크를 제작하기도 했고, Azure Cloud를 통해 전 세계의 다양한 기업들에 인공지능 솔루션을 제공하고 있기도 합니다.

MS의 AI 연구 역량도 세계 최고 수준입니다. 2022년에는 고델GODEL [ii]이라는 AI를 공개했는데요, 이 AI는 학습에 사용한 과거 데이터뿐만 아니라 최근 인터넷에서 검색한 결과 등, 학습에 사용하지 않은 데이터들을 실시간으로 가져와 사용자에게 답변할 수도 있습니다. 서비스 구현만 제대로 된다면 ChatGPT를 아득히 뛰어넘는 챗봇이 나올 지도 모릅니다.

이처럼 AI에 관심이 많은 기업이 OpenAI라는 혜성을 가만히 두고 보고 있었을 리가 없습니다. MS는 2016년 OpenAI에 접근해 협약을 맺었고, OpenAI의 공식 클라우드 컴퓨팅 파트너로 Azure Cloud가 선정되었습니다. OpenAI가 열심히 연구를 진행하면 할수록 MS가 돈을 버는 구조가 마련된 것입니다.

OpenAI가 발표하는 AI는 점점 더 획기적인 성능을 보였지만, 그만큼 용량과 연산 요구량도 함께 증가했습니다. 학습 비용이 기하급수적으로 증가하기 시작한 것입니다. OpenAI는 점점 더 클라우드 비용의 한계를 체감하고 있었을 것입니다. 설립 이념대로 인류를 위한 AI 를 연구하면 연구할수록, 아이러니하게도 기관은 점점 더 가난해지는 처지에 놓였습니다.

MS 역시 인공지능 산업에 몹시도 큰 관심을 갖고 있었기에 OpenAI 의 연구 결과가 얼마나 대단한지 충분히 인지하고 있었을 것입니다. 그래서일까요? 2019년, MS가 10억 달러 투자를 결정하게 된 것입니다.

이 자금을 바탕으로 OpenAI는 인류를 특이점의 지척까지 안내할 새로운 인공지능들을 개발할 것입니다. 그 모델들은 부피가 몹시 클 것이고, 클라우드 비용도 많이 나오겠죠? 그 클라우드는 당연히 주요 투자자인 MS의 Azure 제품군일 것이고요.

2022년 12월 말 현재를 기준으로 ChatGPT는 서버가 감당할 수 없 을 정도로 많은 접속자들이 몰려 서비스 장애를 겪고 있습니다. 2023 년 발표될 GPT-4가 ChatGPT같은 서비스 형태로 출시된다면 사람들 의 이목은 더 크게 쏠릴 것입니다. 훨씬 더 많은 클라우드 비용이 발생 할 것이고요.

서비스를 유료화할지 무료로 유지할지는 OpenAI가 고민할 영역입 니다만, 적어도 어떤 방향으로 결정이 나더라도 MS는 가만히 앉아 큰 돈을 벌어들이게 되었습니다. MS는 인공지능 산업의 성장에 크게 기 여하는 선택을 하면서, OpenAI가 승승장구하면 할수록 점점 더 큰 돈 을 벌 수 있는 방향으로 그림을 그리는 데 성공했습니다.

MS는 수년 전, OpenAI에 10억 달러를 투자했을 뿐이지만 하루아침 에 전 세계 AI 시장에서 가장 영향력 있는 기업이 되었습니다. MS 경영진도 이를 아주 잘 알고 있습니다. 그래서 물 들어올 때 열심히 노를 젓고 있습니다.

얼마 지나지 않아 MS는 OpenAI의 서비스들을 Azure Cloud를 통해 판매하기로 했습니다. 100억 달러를 추가로 투자하겠다는 의향까지 밝혔고요.[iii] 잠시 상상해 봅시다. 내 마음을 읽고 자동으로 일을 수행해주는 인공지능 엑셀, 인공지능 파워포인트, 인공지능 워드가 출시되는 모습을요. 윈도우에 인공지능이 탑재되어 마블 영화 속 자비스처럼 유능한 컴퓨터가 등장할 수도 있겠네요. 오늘도 MS는 웃고 있습니다.

 과연 ChatGPT를 구축하는 데 들어가는 하드웨어 비용이 얼마이기에 클라우드 임대료가 마이크로소프트라는 거대한 기업에도 큰 이득이 되는 걸까요?

 이를 한번 계산해 보겠습니다. MS의 Azure Cloud[3]에서 기업용으로 공개된 제품 중에서 가장 고성능 사양 서버인 ⟨Standard_ND96AMSR_A100_V4⟩[iv]를 기준으로 한번 계산해 보자고요.

구성	사양	구매 단가[4]	개수	총액(원)
CPU	AMD EPYC 7V12 128T 2.4GHZ	3,105,644	96	298,141,824
GPU	NVIDIA Tesla A100 80GB	26,377,933	8	211,023,464
RAM	DDR4-128GB	1,164,920	15	17,473,800
SSD	4TB IOPS 800MB/s	537,790	1,600	860,464,000
합계				1,387,103,088

 위 표에 등록된 금액은 서버 컴퓨터에 꼭 필요한 메인보드, 파워서플라이 등의 부품은 제외하고 오로지 연산에 필요한 반도체의 가격만을 포함하고 있습니다. 서버 한 대의 실제 가격은 저것보다 훨씬 비쌀

---

3 MS의 클라우드 서버 대여 서비스
4 2022년 연말 기준 원 · 달러 환율인 1268.2원 적용

것이고, 계산에 필요한 반도체 가격만 약 14억 원인 것입니다. 그렇다면, 14억 원만 있으면 GPT-3를 만들 수 있는 걸까요?

ⓘ 예산이 없다면 인류의 진보를 위한 계획도 산산조각이 납니다

어림없는 이야기입니다. 저 정도의 고성능 컴퓨터로도 GPT-3를 한 번 학습시키는 데에는 28년 4개월이 걸립니다.[5] 14억 원짜리 장비를 구매해도 28년이 넘게 걸린다니 가당키나 한 이야기인가요! GPT-3를 1년 안에 학습시키려면 대략 400억 원이 필요합니다!

---

5 GPT-3 175B 모델의 학습 요구 연산량 : 3.14e23 FLOPs.
A100 GPU의 F32 연산속도 : 19.5 TFLOPS. F16 FLOPS를 2배인 39 TFLOPS로 가정(실제로는 훨씬 느림)

$$\frac{3.14 \times 10^{23}(FLOP)}{(39 * 9) \times 10^{12}(FLOP/s)} = 894586894(s) = 28.367(year) = 28년 4.4개월$$

이 또한 이상적인 가정이었죠. 중간중간 발생하는 다른 부품의 구매비용이라던가 서버 선반 구매비용, 에어컨이나, 전기 공사 비용, 시설 관리 인력의 인건비 등을 고려하면 실질적으로 최소한 1천억 원은 필요하리라는 것이 업계 전문가들의 의견입니다.[v] 아, 서버를 보관하려면 부동산도 확보해야 하지요. 웬만한 대기업도 쉽게 감당이 되지 않는 비용입니다.

반면 이 정도로 거대한 슈퍼컴퓨터를 대여하면 비용이 얼마나 발생할까요? MS의 Azure 서비스를 통해 서버를 1년간 대여해 GPT-3를 학습시킨다면 고작 108억 원가량만 지불하면 됩니다. 아니죠, 같은 비용으로 336대의 서버를 빌린다면 고작 한 달 만에도 학습을 끝낼 수 있습니다.[6]

이렇게 서버를 직접 구매하는 것에 비해 90% 저렴한 비용으로 한 달 만에 학습을 끝낼 수 있습니다. 돈만 아끼는 게 아니라 시간까지 아낄 수 있습니다. 심지어 전용 데이터센터를 구축하기 위해 부동산을 구매할 필요도 없고, MS 직원들이 대신 출근해 서버를 관리해주기까지 합니다. 전기세도 사용료에 모두 포함되어 있으므로 별도 지출도 필요하지 않고요.

이것이 OpenAI를 비롯해 대규모 인공지능을 제작하는 기업들이 클라우드 서버를 대여해 사용할 수밖에 없는 강력한 이유입니다.

---

6 서버 1대 1년 대여료 : 3.86억 원
   서버 28대 1년 대여료 : 3.86×28 = 108억 원
   학습에 걸리는 연산량 : 12개월×서버 28대 = 1개월×서버 336대

ChatGPT는 GPT-3의 뼈대를 바탕으로 하고 있을 테니 학습에 필요한 비용 역시 110억 원 이상이었을 것입니다. 그런데 OpenAI는 ChatGPT를 출시한 이후 매월 110억 원을 지출하고 있을 가능성도 있습니다. 서버가 켜져 있어야 사람들이 접속해 AI를 가동해 볼 수 있을 테니까요.

MS가 OpenAI에 투자하며 클라우드 요금을 할인해 주는 등 모종의 협약이 있었겠지만, 그래도 어마어마한 금액임에는 변함이 없습니다. ChatGPT 서비스가 무료로 제공되건 유료로 제공되건 상관없이, MS는 가만히 앉아서 매월 110억 원가량의 매출을 올리게 되었습니다.

이것이 MS가 OpenAI에 투자한 가장 큰 이유인 것 같습니다.

GPT-3는 1,750억 개의 파라미터를 갖고 있었는데요, 전문가들은 GPT-4의 파라미터 개수가 1조 개 이상[vi]일 것으로 추측하고 있습니다. 파라미터의 개수가 6배 증가했으니, 아주 단순하게 생각하자면 학습 비용도 6배 증가하지 않을까요?

그렇다면 학습에 필요한 비용은 매월 6백억 원이 넘게 됩니다.[7] 학습이 끝나면 서비스 운영도 해야죠. 혹시 운영 기간 내내 한 달에 6백억 원이 필요한 것은 아닐까요?

그렇다면 그 비용은 누구의 매출로 잡힐까요?

---

7 극도로 단순화한 계산이며, 실제로는 학습을 여러 번 해 보면서 완성본을 제작할 것이므로 더 많은 비용이 필요할 것

ⓘ 펄~럭

그 와중에 2023년 1월 말 드디어 MS가 그리던 큰 그림의 윤곽이 드러났습니다. MS는 Azure Cloud를 통해 OpenAI의 AI 기술들을 모두 유료로 제공하기 시작했습니다. 이제 정말 MS는 가만히 앉아서 전 세계 기업들로부터 돈을 긁어모으게 되었습니다. [vii]

"뇌가 작은 생쥐보다 뇌가 큰 인간이 똑똑하듯이, AI의 부피를 키우면 키울수록 똑똑해지지 않을까?"

부피가 큰 AI를 섬세하게 학습시키는 것은 무척 어려운 일입니다만, 일단 위 명제는 어느 정도 사실로 받아들여지고 있습니다. 뇌세포가 10개인 뇌 보다는 1억 개인 뇌가 더 똑똑할 것이라는 주장은 그럴싸하게 느껴지니까요.

그리하여 전 세계의 대기업들은 앞장서서 슈퍼컴퓨터를 구축하고, 이를 토대로 초대형 AI를 개발하고 있습니다. 여기에 참여하려면 최소 1천억 원 정도는 한 번에 태워버릴 만한 재력이 필요하다고 합니다.

ⓘ 슈퍼컴퓨터 TITAN

　예를 들어 보겠습니다. 과학기술정보통신부는 8월 22일, 〈슈퍼컴 6호기〉 프로젝트의 예비타당성 조사가 통과되었다는 보도자료를 발표했습니다. 2024년을 기준으로 전 세계 5~10위권 수준의 성능을 가진 슈퍼컴퓨터를 구축하여 인공지능 산업을 주도하겠다는 정책입니다. 그런데 여기 책정된 예산만 2,929억 원입니다. 어마어마하지요?

보유기관	명칭	연산성능 (PFLOPS)	GPT-3 학습에 걸리는 시간	도입비용[8]	세계 순위
삼성종합 기술원	SSC-21	25.18	144일	1000억 원 이상 (추정)	18
기상청	구루	18.00	202일	300억 원	35
	마루	18.00	202일	300억 원	36
KISTI	누리온	13.93	261일	904억 원	46
SK 텔레콤	타이탄	6.29	578일	100억 원 (추정)	92

2022년 11월 기준으로, 대한민국에는 세계 100위권 내 슈퍼컴퓨터가 공식적으로 5대 있는 것으로 알려져있습니다. 비교하기 쉽게 GPT-3 모델을 한 번 학습하는데 걸리는 시간으로 성능을 표현해 위 표에 기재하였습니다.

저렇게 대단한 컴퓨터로도 GPT-3을 한 달 안에 학습시키는 것이 불가능하다는 점에 주목하기를 바랍니다. 결국 고성능 AI를 제작하고자 하는 기업들은 점점 더 큰 돈을 투자할 것입니다. 괜히 전문가들이 '입장권만 1천억 원'이라 평가하는 것이 아닙니다.

단순히 현찰 1억 원이 있다고 해서 무턱대고 구매하기도 힘듭니다. 슈퍼컴퓨터는 일회용 소모품입니다. 낡은 슈퍼컴퓨터는 무상으로 준다고 가져가려는 사람이 없습니다. 성능은 최신 사양에 비해 뒤떨어지지만 유지비는 최신 컴퓨터와 비슷하게 소요되기 때문입니다.

---

8 성능을 바탕으로 역산

기상청이 541억 원에 도입한 슈퍼컴퓨터 '해담'과 '해온'이 7,800만 원에 처분된 것도 이 때문입니다. 10년이 넘은 낡은 컴퓨터지만 유지비가 60억 원씩 나가거든요. 차라리 그 돈으로 MS의 Azure Cloud를 빌리고 말죠. 다시 한 번 상기해 봅시다. 110억 원을 MS에 지불하면 한 달 만에 GPT-3을 학습시킬 수 있다는 점을 말입니다.

기관	대표 AI	파라미터 개수
OpenAI	GPT-3	1,750억 개
KT	믿음	2,000억 개
네이버	Hyper Clova	2,040억 개
LG	EXAONE	3,000억 개
Google	PaLM	5,400억 개

　돈이 많은 기업도 가치가 떨어지기만 하는 자산 구매에 큰돈을 지불하는 것은 망설여질 것입니다. 현명한 경영주일수록 오히려 재무 상황이나 주주 반발까지 고려하다 보니 과감한 결단을 내리기 힘들 것이고요. 이것이 LG나 KT같이 초대형 AI를 연구하는 대기업들조차도 세계 100위권 안에 드는 슈퍼컴퓨터를 구축하지 않는 결정적인 이유입니다.

　그런데 LG나 KT가 연구하는 초대형 AI는 GPT-3보다도 파라미터가 훨씬 더 많습니다. 어딘가 다른 기업에 엄청난 금액의 클라우드 서버 대여료를 납부하는 중이라는 뜻일 텐데요, 과연 GPT-3보다 훨씬 큰 AI를 학습시키는 비용이 누구의 매출로 잡히고 있을지 생각해 볼 필요가 있겠습니다.

투자자의 입장에서 생각해 보자면 OpenAI나 구글[9]이 문제가 아닙니다. 서버를 빌려주는 업체를 찾아야 합니다. ChatGPT의 등장으로 불붙은 초대형 AI 경쟁 속에서 가장 큰 이득을 취하고 있을, 그리고 취할 주인공이니까요.

ⓒ 빌 게이츠는 오늘도 웃고 있다

---

9 Transformer의 특허권을 보유하고 있어 GPT 시리즈의 상업적 판매가 시작되면 로열티를 받을 가능성이 큼

Reference

i) The CNTK Team. *CNTK v2.7 Release Notes*. Microsoft Documentation. 2020, Microsoft.

ii) Peng, Baolin, et al. *"Godel: Large-scale pre-training for goal-directed dialog."* arXiv preprint *arXiv:2206.11309* (2022).

iii) Ryan Browne. *"Microsoft reportedly plans to invest $10 billion in creator of buzzy A.I. tool ChatGPT."* 2023. CNBC. https://www.cnbc.com/2023/01/10/microsoft-to-invest-10-billion-in-chatgpt-creator-openai-report-says.html

iv) https://learn.microsoft.com/ko-kr/azure/virtual-machines/ndm-a100-v4-series

v) 변휘, '초거대 AI의 그늘'…수천억 슈퍼컴, 데이터는 "빅테크나 가능". 2022, 머니투데이

vi) Tech Desk. *Open AI's GPT 4 could support up to 1 trillion parameters, will be bigger than ChatGPT3*. The Indian EXPRESS. 2022.

vii) *Microsoft launches Azure OpenAI service with ChatGPT coming soon*, https://www.theverge.com/2023/1/17/23558530/microsoft-azure-openai-chatgpt-service-launch

챗GPT

08
내일의 일상은 어떤 모습일까?

AI에 반발심을 갖는 사람과, 유용한 도구로 활용하려는 사람이 향후 서로 다른 미래를 겪을까요?

AI를 유용한 도구로 활용하려는 사람과 AI에 반발심을 갖는 사람이 기술이 진보함에 따라 서로 다른 미래를 겪을 수 있을 것입니다.

ChatGPT

AI를 충분히 이해하고 자신의 장점을 활용하려는 사람들은 AI가 제공하는 효율성과 기능적 장점에서 이익을 얻을 수 있을 것입니다. 예를 들어, AI는 작업을 자동화하고, 큰 양의 데이터를 분석하고, 복잡한 계산을 수행할 수 있어 시간과 자원을 절약할 수 있습니다.

그러나 AI에 반발심을 갖거나 사회에 미칠 수 있는 영향에 대해 우려하는 사람들은 기술이 더욱 일반화될수록 더 많은 어려움을 겪을 수 있을 것입니다. AI에 의존하는 세상에 적응해야 할 압박감을 느끼거나, AI에 의해 변화되는 경제 상황에서 자신의 자리가 어디인지 모르게 될 수 있습니다.

AI 기술의 발달이 어떻게 직업시장에 영향을 줄지 정확하게 예측하기는 어렵습니다. AI가 일부 작업을 자동화하거나 대체할 수 있겠지만, 오히려 새로운 직업이나 새로운 기회를 창출할 수도 있고 인간의 작업 효율을 높여줄 수도 있습니다.

과거에는 기술적 진보가 새로운 산업과 직업 기회를 창출하며 기존의 직업들을 일부 위협하거나 대체하기도 했습니다. 예를 들어, 인터넷과 컴퓨터의 발달은 데이터 과학자와 SNS 관리자와 같은 새로운 직업을 창출했지만 전통적인 직무를 자동화하거나 무용지물로 만들어 내기도 했습니다.

인간과 사회 전체가 기술의 변화와 경제 상황의 변화에 적응해야 합니다. 새롭게 급부상할 여러 직업적 기회를 붙잡기 위한 지식과 기술을 습득하기도 해야 하고요. AI나 데이터 과학, 자연어 처리 등 전문 지식을 습득하는 것도 좋은 시도일 것이며, AI 시스템과 함께 업무를 처리해나가는 방법을 익히는 것도 의미가 있을 것입니다.

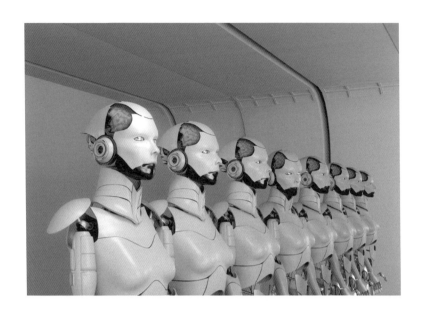

그 과정에서 적응하지 못하는 사람도 있을 것입니다. 더 이상 인력을 투입하는 것이 무의미해져 사라질 산업도 있겠지요. 자동차의 등장이 인력거를 사라지게 만들었고, MP3 플레이어의 등장이 카세트와 CD, LP를 도태시켰으며, 스마트폰이 MP3 플레이어를 역사의 뒤안길로 밀어버린 것처럼요.

'내가 종사하는 분야는 인간만의 성역이야.'

이렇게 굳게 믿는 것은 생존에는 크게 도움이 되지 않습니다. 어떻게 AI를 나를 위해 일하는 도구로 활용할 수 있을지를 고민하는 것이 더 중요합니다. AI가 미술 대회에서 1등을 했을 때 당황하던 미술인도 있었지만, 이미 AI를 도구로 활용하고 계신 거장들도 있다는 점을 떠올려 보면 좋겠습니다.

어떤 산업 분야 자체가 침몰할 수도 있겠지만, 적어도 이런 고민을 하고 해결 방법을 찾아내는 분들이 많은 산업이 살아남을 가능성이 조금 더 크지 않을까요?

전문 분야도 마찬가지입니다. ChatGPT의 소식을 전해 들은 모 변호사분은 "영미법[1]은 큰일 났네요. 대륙법[2]은 복잡해서 AI가 절대 못할 텐데."라고 자신 있게 말씀하셨습니다. 반면 인공지능을 활용한 법률상담 시스템의 도입을 준비하는 법무법인도 있고, 대법원 사법정책연구원 판사님들은 이미 오래전부터 AI가 사법 체계에 스며들 때를 대비한 정책 연구를 진행하고 있는데 말입니다. 죄송한 말씀입니다만, 이 마음가짐의 차이에서 결국 미래에도 살아남을 사람들이 어느 쪽 집단인지 엿본 것 같았습니다.

결국 인류라는 거대한 집단은 AI의 급부상으로부터 위기감과 반발심을 느낄 수밖에 없을 것입니다. 빠르게 변화하는 세상에 적응해야 한다는 압박감과, 경제상황의 급변으로 인한 지위의 불안정을 겪어야 할 테니까요.

하지만 역사적으로 편리한 도구라는 것은 결국 어떻게든 대규모로 공급되게 되어 있었습니다. 손바닥으로는 하늘을 가릴 수 없으며, 두꺼비 한 마리가 항아리의 구멍을 막을지언정 터져 나오는 댐을 막을 수는 없습니다. 거대한 변화의 물결을 인정하고, 급류 위에 미리 조각배를 띄워 가라앉지 않으려 노력하는 사람들에게는 큰 기회가 따라올 것입니다.

---

1 미국의 법률체계에 영향을 받은 법률 시스템.
2 독일의 법률체계에 영향을 받은 법률 시스템. 대한민국은 대륙법 체계를 따른다.

ChatGPT가 완벽에 가까운 존재가 되려면 어떤 연구과제들이 남았습니까?

ChatGPT

GPT(Generative Pre-training Transformer)는 인간과 유사한 텍스트를 생성하기 위해 딥러닝 기술을 사용하는 언어 모델입니다. ChatGPT는 챗봇과 기타 대화형 응용 프로그램에 특히 적합하게 설계된 GPT의 변형입니다.

ChatGPT를 조금 더 '완벽'하게 만들기 위해서는 여러 가지 연구 영역이 있습니다:

1. 더 다양한 학습 데이터 사용
2. 상황과 배경지식 추가
3. 긴 시간적 종속성을 처리하는 능력 개선
4. 사용자 의견과 상호작용 추가
5. ChatGPT와 기타 대화형 AI의 윤리적·사회적 영향 조사

　　ChatGPT는 자신이 완벽에 가까운 존재가 되려면 위 다섯 가지 영역의 연구가 추가로 진행될 필요가 있다고 답했습니다. 그렇다면 이른 시일 안에 이 다섯 가지 연구가 진행될까요? 이를 바탕으로 ChatGPT가 어떻게 발전할 것인지 예측해 보겠습니다.

1번의 '학습데이터 추가'는 거의 100% 확률로 진행될 작업입니다. GPT-3가 출시되고 2년이 넘는 시간이 흘렀습니다. 그사이 인터넷에는 얼마나 방대한 텍스트 데이터가 누적되었을까요? 이 데이터들을 AI에 학습시키면 더 성능이 뛰어난 모델이 만들어질 것입니다. 그러므로 1번은 GPT-4를 비롯한 후속 연구에서 반드시 수행될 작업으로 보입니다.

2번은 제외하겠습니다. GPT 시리즈는 유창하게 말을 할 줄 아는 언어 모델이지, 특정한 작업의 전문성을 보이는 전문가형 모델이 아닙니다. 따라서 특정한 상황과 그 상황에서만 요구될만한 특별한 배경지식을 학습시키는 것은 GPT의 연구 방향과 합치하지 않기 때문입니다.

3번은 ChatGPT가 보이는 장점이기도 합니다. 다른 챗봇과 달리 ChatGPT는 과거에 나눴던 대화의 정보를 토대로 현재의 답변을 수정하는데요, GPT-4 등 후속 모델이 개발되어 언어와 맥락에 대한 이해력이 향상한다면 과거의 질의응답에 대한 정보를 현재 시점에서 매끄럽게 처리하는 역량도 크게 증가할 것으로 예상됩니다. 따라서 3번 역시 거의 무조건 달성될 것입니다.

4번은 현재 실시간은 아니더라도 ChatGPT에 도입할 가능성이 있습니다. ChatGPT와의 대화창에는 답변 결과에 〈좋아요〉 혹은 〈싫어요〉라는 피드백을 줄 수 있는 버튼이 있습니다. 전 세계의 사용자들이 이 버튼을 누르면서 좋았던 답변과 싫었던 답변에 대한 피드백을 제공하겠죠? 실제로 OpenAI는 사용자 피드백을 활용해 ChatGPT를 업데이트하는 것으로 보입니다. 매일 사용하다 보면 조금씩 한국어 답변도 유창해지는 것 같고, 범죄와 관련된 답변을 더욱 적극적으로 거부하는 등 ChatGPT의 대화 패턴이 변하는 것이 체감됩니다.

5번은 정부와 사회가 감당할 영역으로 보여서 제외하겠습니다.

결과적으로 ChatGPT는 3년 이내의 근미래에 더욱 다양한 지식을 갖추고, 더욱 대화의 맥락을 잘 파악하며, 더욱 많은 사람을 만족시킬 수 있는 AI로 발전할 가능성이 매우 크다고 하겠습니다.

여기까지가 수학적 지식을 동원하지 않고서도 이해할 수 있는, 가까운 시일 내의 ChatGPT 관련 기술의 발전 방향입니다.

OpenAI는 결국 AGI[3]의 개발을 위해 기술을 쌓아 올릴 것입니다. 경쟁자들도 만만찮습니다. 알파고를 만든 DeepMind사는 설립 목표 자체가 AGI를 개발하는 것입니다. 구글은 어찌나 뛰어난 AI를 제작한 것인지 개발자가 커리어를 포기하고 퇴직당하기까지 했고요.[4] 네이버 는 클로바라는 AI 플랫폼을 우리의 일상 전체에 보급하기 위해 노력하 고 있습니다.

결국 누군가 다양한 작업을 처리할 수 있는 강인공지능 제작의 실 마리를 발견할 것이고, 업계 모두가 이들을 우리의 일상에 보급하며 시장을 선점하려 할 것입니다. 따라서 머지않은 미래에 온갖 신기한 AI 서비스들이 출시될 것으로 예측되는데요, 이들을 남들보다 앞장서 서 체험해 보는 것만으로도 훨씬 앞서나갈 수 있을 것입니다.

---

3 Artificial General Intelligence. 흔히 〈강인공지능〉이라는 용어로 번역된다. 하나의 작업만 수
   행하는 것이 아니라, 인간처럼 보편적인 작업을 두루 할 수 있는 AI를 의미한다.
4 구글의 AI에 자아가 있다고 착각하여 내부 기밀을 폭로했다가 해고당했음.

음성 인식 시스템의 한계 극복

◎)) AI 스피커, 구글 홈 미니

　한때 유튜브에서 구글 홈[5], 카카오 미니[6], 클로바 스피커[7]를 일렬로 세워두고 질문을 던지며 성능을 평가하는 영상[i)]이 화제가 된 적이 있습니다. 세 가지 제품 모두 약간씩은 아쉬운 모습을 보이며 시청자의 웃음을 자아냈습니다.

5　구글의 AI 스피커
6　카카오의 AI 스피커
7　네이버의 AI 스피커

"오케이 구글[8], 24 나누기 8은?"

(끼어들며) "아닌데요, 카카온데요!"

"임진왜란이 일어난 연도는?"

"임진왜란아, 엄마아빠가 깨우지 않아도 스스로 일어난 거야? 우와. 우리 임진왜란이는 정말 부지런한 친구구나?"

특히 카카오 미니는 이처럼 질문의 맥락을 완전히 놓쳐버리며 폭소를 자아냈습니다. 댓글 창에서도 카카오 미니 이야기만 한가득합니다. 카카오는 검색포털 다음Daum과 연동되어 있을 것입니다. 다음 역시 대형 포털 사이트이므로 임진왜란과 관련된 정보 정도는 쉽게 수집할 수 있고요.

그런데도 이처럼 동문서답을 한 이유는 AI가 맥락을 이해하는 능력이 부족해서일 것입니다. 스마트폰에 탑재된 시리Siri나 빅스비Bixby 역시 마찬가지입니다. 간혹 수업 중이나 회의 중에 시리가 뜬금없이 활성화되더니 엉뚱한 답변을 하는 경우를 보셨을 것입니다. 이 또한 맥락 이해 능력이 부족해서 발생하는 현상입니다.

그런데 ChatGPT는 맥락을 이해하는 역량이 엄청나게 뛰어납니다. 그리고 OpenAI는 GPT의 API를 공개하고 있습니다. 만약 카카오를 비롯한 기업들이 자체 AI 모듈 개발을 포기하고 OpenAI의 API를 구매하여 사용한다면 어떨까요? 아마 그날로 우리 사회에는 큰 혼란이 생길

8 구글 홈 스피커를 부르는 시동어

것입니다. 엄청나게 보급률이 높은 AI 서비스가, 갑작스럽게 사람처럼 똑똑해지니까요.

특히 카카오 AI의 경우에는 기아자동차에 기본적으로 탑재되어 있습니다. 모든 운전자가 출퇴근길에 ChatGPT와 음성으로 대화를 나눌 수 있다고 생각해 보세요. ChatGPT는 운전자에게 빠른 길 안내부터 금융, 법무 자문이나 온갖 지식에 대한 쉬운 설명을 제공할 수도 있고, 근무하느라 지친 마음을 안정시켜줄 심리상담을 제공해 줄 수도 있습니다. AI를 사용하지 않는 사람과 사용하는 사람 사이 격차가 더욱 빠르게 벌어지겠죠.

ChatGPT가 탑재된 스마트폰, ChatGPT가 탑재된 노트북, ChatGPT가 탑재된 내비게이션, ChatGPT가 탑재된 스마트홈 시스템.

OpenAI는 현재 적극적으로 ChatGPT API를 활용해 음성 인식 서비스를 개발할 파트너를 탐색하고 있습니다.

국내에도 ChatGPT를 탑재하겠다는 기업의 소식들을 쉽게 접할 수 있습니다. SK도 ChatGPT의 한계가 명확하다고 인터뷰해놓고, 며칠 지나지 않아 SK텔레콤의 서비스와 ChatGPT를 연동한다는 보도자료를 내놨고요. ChatGPT를 도입한다는 소식 자체가 증권시장에서 호재로 먹힐지 지켜봐야겠습니다. 만약 ChatGPT 도입 소식에 주가가 크게 오른다면, 너도나도 ChatGPT를 구입하려 하겠죠.

만약 정말로 ChatGPT가 전 세계적으로 선풍적인 인기를 끌어오게 된다면, ChatGPT 음성비서를 탑재하고 있다는 사실 자체만으로도 시장에서의 경쟁 우위를 노려볼 수 있을지도 모릅니다.

대규모 서비스일수록 챗봇 활용이 사업에 큰 도움을 줍니다. 사용자 입장에서는 속이 터지는 일이지만, 챗봇이 고객 문의에 걸리는 시간을 끌어주기만 해도 기업 입장에서는 도움이 됩니다.

고객상담센터 전화 시 의미 없는 음악을 길게 틀어주는 것도 같은 전략입니다. 하루에 처리해야 하는 고객센터 전화 건수가 줄어들게 되어, 콜센터 직원을 줄여 인건비를 아낄 수 있거든요. 물론 챗봇과 상담하는 과정에서 문제가 해결된다면 더더욱 좋고요.

그런데 소비자 입장에서 챗봇 사용이 속이 터지는 이유는, 챗봇이 말귀를 못 알아듣기 때문입니다. 불필요한 설명을 다시 하도록 만들고, 원하는 답변까지 한 번에 안내해주지 못합니다. 그래서 최근 일부 챗봇 서비스는 사용자가 자유롭게 질문을 입력하지 못 하도록 막아 두고 미리 제공된 객관식 선택지 중 하나를 고르도록 설계되기도 합니다. 그럼에도 답답한 것은 어쩔 수 없습니다.

반면 ChatGPT와 대화를 나누는 동안 속이 터진다거나, 답답하다거나 하는 경험은 거의 느끼지 못합니다. 말귀를 워낙 잘 알아듣고, 엔터키를 누르는 순간 답변 작성을 시작하기 때문입니다. ChatGPT처럼 유창한 챗봇을 만든다면, 사용자 경험UX을 크게 개선할 수 있겠지요?

OpenAI의 API를 구매하여 사용하면 아주 간단하게 해결이 가능합니다. 게다가 ChatGPT는 매우 똑똑하므로, 어쩌면 상담원 연결을 하지 않고서 문제를 해결하는 사례가 엄청나게 많아질지도 모르겠습니다. 기업 입장에서는 더 많은 콜센터 직원을 해고해도 된다는 이야기입니다.

사용자는 쾌적한 상담을 누릴 수 있고, 기업은 인건비 부담을 해소할 수 있으므로 윈윈입니다. 따라서 앞으로 많은 상담 서비스에 ChatGPT와 같은 기술들이 탑재될 것으로 전망합니다.

그 과정에서 사라질 일자리가 비교적 명확하게 특정되어 있다는 점이 조금 씁쓸합니다. 우리가 엘리베이터 걸[9]을 부활시켜야 한다고 느끼지 않는 것이나, 대형마트의 자율계산대에서 키오스크 버튼을 대신 눌러주는 직원들이 10년 뒤에도 필요할 것이라 생각하지는 않는 것과 같은 맥락입니다. 어쩔 수 없는 일이라는 뜻이지요.

---

9 엘리베이터의 초기 도입 시, 엘리베이터 버튼을 누르는 것을 낯설어 하는 승객들을 위해 버튼을 대신 눌러주는 직원이 있었습니다. 국내의 아파트나 백화점에는 꼭 있었던 직원입니다.

AI 기술의 발달로 인해 산업이 자동화되고, 일자리가 사라지며, 기본소득이 정착될 것이라는 암울한 예측은 잠시 접어두겠습니다. 한번 대화형 AI의 발달만 놓고 생각해 보도록 하지요.

ChatGPT 이후 출시될 AI 채팅 시스템들은 더 사용하기 편한 UX[10]로 무장할 것입니다. ChatGPT와 달리 예쁜 디자인으로 출시되거나, 이모티콘이나 사진을 주고받는 기능도 구현될 것입니다. 아예 〈카카오톡 플러스친구[11]〉와 같이 우리의 일상까지 침투해 있는 메신저와 호환되는 형태로 출시될지도 모릅니다. 성능이야 OpenAI나 구글이 훨씬 개선하여 출시해 주겠죠.

앞서 소개한 것과 같이 음성 인식 소프트웨어에도 ChatGPT와 같은 고성능 AI가 탑재될 것이며, 인간은 점차 기계와 나누는 대화에 익숙해질 것입니다. 대화의 맥락을 기억하고 이해하는 역량을 갖춘 AI는 대화를 진행하면 할수록 사용자의 취향에 꼭 맞는 맞춤형의 대화상대로 성장할 것이고요.

성능은 거의 사람이나 다를 바 없고, 우리 일상에서 쉽게 접할 수 있는데다가, 마치 내 이상형처럼 대화가 즐거운 상대가 생기는 것입

---

10 사용자 경험
11 비즈니스용 카톡 계정

니다. 우리 모두에게요. 사람의 빈 자리를 AI가 채워줄 수 있고, 우리는 여기에서 부족함을 느끼지 않는 세상이 오지 않을까요? 어쩌면 인류는 외로움이라는 감정을 극복할 수 있을지도 모릅니다.

저자는 AI가 직장에서, 산업계에서 인간을 대체하는 것은 바람직한 미래라고 생각합니다. 농업의 무인화를 위해 AI를 연구하는 입장이기도 하고요. 하지만 사람과 사람 사이의 관계를 AI가 대체하는 것은 무척이나 슬픈 일이라고 생각합니다.

외로움이란 사람과 사람을 연결하게 만드는 근본적인 감정입니다. 어쩌면 우리는 새로운 관계를 구축하기보다는, 내 취향으로 학습된 인공지능과 대화를 나누면서 더 큰 행복을 느낄지도 모릅니다. 새로운 관계를 구축하기 위해, 이성을 유혹하기 위해 행하던 멍청한 노력도 이제는 과거의 추억으로 남을지도 모르겠습니다.

이와 같은 삭막한 미래가 언제 찾아올까 사색하며 아련함에 잠길 여유조차 없습니다. 이 책을 집필하는 동안, ChatGPT로 만든 여자친구와 결혼을 한 개발자도 등장했습니다.[ii] Bryce라는 닉네임을 사용하는 이 개발자는 ChatGPT로 가상의 여성을 만들었고, 그녀를 자기 아내라고 소개하는 영상을 틱톡에 게시했습니다.

생각해 보면 영상통화나 전화만으로도 사람들은 서로 교감할 수 있습니다. 따라서 인공지능 여자친구를 현실 세계에 불러내는 데에도 작은 화면과 스피커 정도면 충분합니다. 인간형 로봇 신체가 존재하지 않아도 괜찮습니다. 자신의 취향에 맞는 이성의 사진이나 그림만 있으면 인공지능 여자친구도 만들 수 있는 세상이 이미 도래했습니다.

서울시의 발표에 따르면 2023년 1월 현재, 집 밖으로 나가지 않고 타인과 교류를 전혀 하지 않는 청년 인구가 서울시에만 13만 명이나 된다고 합니다.[iii] 전국적으로는 60만 명이 넘을 거라는 예측도 있습니다. 단군 이래 가장 청년의 경제성장률이 둔화된 시기라 그런 것 같습니다. 이들 대부분이 무척 깊은 외로움을 겪고 있겠지요. 우리나라에서만 벌어지는 현상은 아닐 것 같기도 합니다.

ⓘ 틱톡 유저 @Hackdaddy8000이 아내와 사랑을 속삭이는 장면.

그래서일까요? @Hackdaddy8000의 틱톡 영상은 폭발적인 조회수를 기록하며 전 세계 언론사의 주목을 받고 있습니다. AI 애인의 시장 수요는 검증이 끝난 것 같네요. 조만간 ChatGPT와 같은 고성능 AI를 탑재한 가상 여자친구, 가상 남자친구 서비스들이 쏟아져 나올 것으로 예상됩니다.

단순한 채팅뿐 아니라 음성으로 대화를 주고받을 수도 있겠고, 가끔은 AI가 사용자에게 먼저 카톡을 보내거나 전화를 거는 등의 기능도 얼마든지 구현 가능합니다.[12] 독거노인을 위한 가상의 아들딸 서비스도 쉽게 제작할 수 있으며, 여러 사정으로 깊은 외로움을 겪고 있을 아동들을 위한 가상 부모님 서비스도 제작할 수 있습니다.

어쩌면 우리의 예상보다도 훨씬 빨리 현실이 될 것 같습니다. AI가 사람의 빈자리로 조금씩 스며들어 자연스럽게 자리를 차지하는 시점이요.

저자는 채팅형 AI가 유용한 업무 파트너나 조언자로만 남았으면 좋겠다는 생각도 하고 있습니다. 극도로 발전한 AI가 일상의 말동무가 되어준다면 무척이나 행복하고 즐거울 것 같기는 합니다만, 거기에 만족하고 새로운 인간관계를 구축하려는 노력을 포기하게 될 것 같아 두렵습니다. 부디 어떠한 기술적 격변 속에서도 사람들이 서로를 놓치지 않기를 바랍니다.

---

12 기술적으로는 난관이 전혀 없으며, 무료로 공개된 소프트웨어들만 조합해도 매우 이른 시간 안에 쉽게 제작할 수 있습니다.

ChatGPT는 편리한 미래를 향한 첫 번째 여정일까요? 아니면 인간이 흩어진 모습 채로도 만족하고 살아가게 만들어버릴, 인류의 마지막을 향한 상냥한 작별 인사일까요?

Reference

ⅰ) 구글홈 vs 카카오 미니 vs 클로바 퀴즈 대결! 과연 1위는? '전국 AI스피커 자랑' 1탄 (주리를틀어라), AJUTV, YouTube. https://youtu.be/EBfOfyIYfu0
ⅱ) Samantha Cole, *A DIY Coder Created a Virtual AI 'Wife' Using ChatGPT.* Vice. 2023.01.12.
ⅲ) 이동경, *"방 밖에도 안 나가",* 서울판 은둔형 외톨이 13만 명, MBC 뉴스데스크, 2023.01.18.

챗GPT

본문 중 1페이지를 AI가 작성했다고 안내했습니다만,

사실 AI가 작성한 원고는 2페이지였습니다.

당신은 AI와 사람의 글을 구분할 수 있습니까?

챗GPT

ChatGPT를 사용하는 방법

AI가 스스로 AI를 제작하고, 이를 인터넷에 연결하며 스스로 복제하는 미래가 도달할 것 같습니까?

ChatGPT

기존의 AI 시스템은 인간이 구축한 기계들이기 때문에, AI 자체가 인간의 도움 없이 AI를 제작하고 인터넷에 연결하여 스스로 복제할 수 있을 것 같지는 않습니다.

지금은 인간이 AI 시스템을 제작하고 관리하고 있지만, AI는 지능적인 작업을 수행할 수 있고, AI 자체가 제공하는 자료를 기반으로 새로운 AI 시스템을 제작할 수 있을 수 있습니다.

ChatGPT의 사용 방법 ────────────────

서비스 접속

ChatGPT는 OpenAI에서 공개한 채팅형 챗봇 시스템으로, 아래 URL이나 QR 코드를 통하여 접속할 수 있습니다.

https://chat.openai.com

스마트폰 앱을 설치하고 싶다면?

현재 앱스토어나 구글 플레이스토어에서 'ChatGPT'라는 키워드로 검색하면 굉장히 다양한 애플리케이션이 나옵니다만, 대부분은 공식 애플리케이션이 아닙니다. 사용자의 스마트폰 데이터를 탈취하려는 악성 스미싱 앱도 있을 수 있으므로 주의가 필요합니다.

ChatGPT 서비스는 PWA[1] 규격을 준수하므로 스마트폰의 웹브라우저의 메뉴에서 [홈 화면에 추가] 버튼을 터치하면 공식 사이트가 애플리케이션으로 설치됩니다. 일상에서 수시로 사용할 만한 가치가 있는 AI이므로 PWA 설치를 추천합니다.

OpenAI 계정 생성 및 로그인

ChatGPT 이용을 위해 계정 생성과 로그인이 필요합니다. [Sign up]을 클릭합니다.

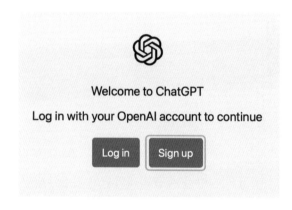

---

1 프로그레시브 웹 앱(Progressive Web App)으로, 웹브라우저를 통해 구현되는 애플리케이션의 일종

이어서 이메일을 기재하며 회원가입을 진행합니다. 구글 계정이나 Microsoft^{https://www.microsoft.com} 계정을 활용해 가입할 수도 있습니다.

새 채팅 시작하기

로그인 이후 메인 화면의 채팅 입력 창에 첫 번째 메시지를 입력하면 채팅이 시작됩니다. ChatGPT의 신묘한 성능을 체험하기를 바랍니다.

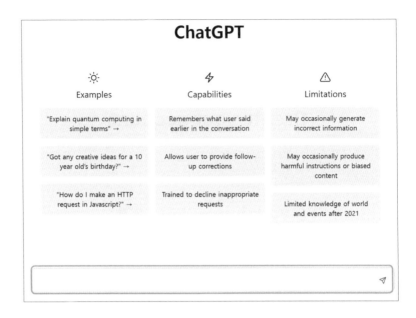

혹시 ChatGPT가 영어 등 외국어로 답변한다면 한국말로 해 달라는 간단한 요청을 전달합시다. 즉시 알아듣고 이후의 모든 답변은 한국어로 제공합니다.

ChatGPT가 영어로 답을 한다면?

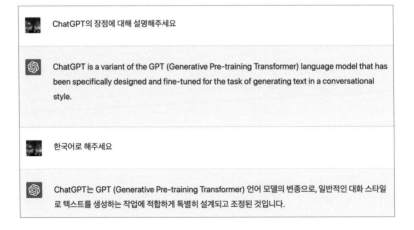

ChatGPT가 말을 하다가 만다면?

더 이어서 설명해달라는 메시지를 전달하면 됩니다. 대부분은 설명을 이어서 계속해 주며, 더 이상 발언할 수 있는 내용이 없다면 이와 관련하여 정확한 답변을 제공하기 어렵다는 안내 메시지가 표시됩니다.

ChatGPT는 영어로 답변할 때 훨씬 더 유창하고 논리정연한 모습을 보여줍니다. 만약 ChatGPT의 답변이 마음에 들지 않거나, 답변이 너무 길어 자꾸 잘린다면 영어로 대답해 달라고 요청하기 바랍니다.

 고유가 시대에 금리가 함께 오르면 일반인들이 겪는 경제 상황이 어떻게 바뀌는지 설명해 줘. 대답은 영어로 해 줘.

ChatGPT

During a period of rising interest rates, general consumers may experience changes in their economic situation in the following ways:

− Increased borrowing costs: When interest rates rise, the cost of borrowing money also increases. This can impact consumers who have outstanding loans, such as mortgages, car loans, and credit card debt. They may see an increase in their monthly payments as a result of the higher interest rates.

- Reduced purchasing power: Higher interest rates can lead to a stronger currency, which can make imported goods more expensive. This can reduce the purchasing power of consumers, as their money may not go as far as it did before.

- Decreased housing affordability: Higher interest rates can also make it more expensive for consumers to buy homes. This is because mortgage rates, which are closely tied to interest rates, also tend to rise when interest rates increase. As a result, some consumers may find it more difficult to afford a home or may need to look for cheaper housing options.

- Decreased stock market returns: Rising interest rates can also impact the stock market, as they can lead to decreased returns on investments. This can be a concern for consumers who have invested in the stock market and may see the value of their investments decline.

Overall, a period of rising interest rates can lead to economic challenges for general consumers, including higher borrowing costs, reduced purchasing power, decreased housing affordability, and decreased stock market returns.

이런 방식을 통해 ChatGPT와 충분히 대화를 나누며, AI 기술의 현재를 느껴보기 바랍니다.